@

Planet@ 4
Libro del alumno

Matilde Cerrolaza - Óscar Cerrolaza - Begoña Llovet

edelsa
GRUPO DIDASCALIA, S.A.
Plaza Ciudad de Salta, 3 - 28043 MADRID - (ESPAÑA)
TEL.: (34) 914.165.511 - FAX: (34) 914.165.411

Primera edición: 2000.

© Matilde Cerrolaza - Óscar Cerrolaza - Begoña Llovet
© Edelsa Grupo Didascalia, S. A. Madrid, 2000.

Dirección y coordinación editorial: Departamento de Edición de Edelsa.
Diseño de cubierta, maquetación y fotocomposición: Departamento de Imagen de Edelsa.

Imprenta: Egedsa, S. A.
Encuadernación: Gómez Aparicio, S. A.
ISBN: 84.7711.274-6
Depósito legal: B-46754-2000
Impreso en España
Printed in Spain

Fuentes, créditos y agradecimientos

Documentos e imágenes

Fotografías y documentos:

- Altagracia Matías: pág. 94 (1).
- Anne Marie Pérez: pág. 69 (1).
- Autores de *Planet@*: págs. 42 (1), 45, 69 (2), 123, 133, 148 (4).
- Ayuda en Acción: pág. 67.
- BBVA: pág. 100.
- Brotons: págs. 7, 23, 25, 95.
- Café de Colombia: pág. 100.
- CAMPER: pág. 105 (logo, huellas y extracto página *web*).
- Consejo de Europa: Portfolio Europeo de Lenguas (parrilla de autoevaluación: págs. 138, 139).
- Contifoto: págs. 82 (Mario Benedetti), 83 (Gloria Fuertes), 141 (3. Maruja Torres).
- El Juli (torero): pág. 18 (2).
- *El Mundo*: págs. 51, 134.
- *El País*: pág. 46.
- Embajada de Chile en España: fragmento del poema *Paisaje de Finis Terrae*, de Sergio Macías, Asesor Literario de la Embajada (pág. 142); poema de Raúl Zurita proporcionado por Sergio Macías (pág.143).
- Freixenet: págs. 100, 101 (imagen y extracto página *web*).
- J. R. Cuenot: pág. 141 (2).
- Joaquín S. Lavado/QUINO: págs. 36, 122.
- Julián Matías: págs. 69 (4), 128 (1).
- LanChile: pág. 100.
- NASA: págs. 16, 40, 41 (planetas, 2), 66, 92, 120.
- Raimon Portell: pág. 113 (extracto del artículo "La montaña patagónica. Escenarios de leyenda", en revista Altaïr, número 5, segunda época, abril 2000).
- Seridec: págs. 17, 50, 93, 119, 121
- Sigma/Contifoto: págs. 31 (Gabriel García Marquez), 57 (Mario Vargas Llosa), 110 (Pablo Neruda), 111 (Isabel Allende).
- Sol Meliá: pág. 100.
- Telefónica: pág. 100.
- TELMEX: pág. 100.
- VEGAP: págs. 10 (4. *Autorretrato*, Frida Kahlo; 5. *Guernica*, Pablo Picasso), 144 (*Don Quijote y Sancho*, Pablo Picasso).

Ilustraciones:
- Antonio Martín: págs. 6, 7.
- Victoria Gutiérrez: págs. 27, 36, 38, 39, 44, 60, 78, 79, 99, 114, 116, 118, 127.

Notas:
- La Editorial Edelsa ha solicitado los permisos de reproducción correspondientes y da las gracias a los particulares, empresas privadas y organismos públicos que han prestado su colaboración.
- Las imágenes y documentos no consignados más arriba pertenecen al Archivo y al Departamento de Imagen de Edelsa.

Para los habitantes de Planet@ 4

Actualmente se va instalando un nuevo concepto pedagógico en el ámbito de la enseñanza de idiomas: tomando como base el enfoque comunicativo, acoge nuevos impulsos procedentes de la revalorización del sujeto-aprendiz, del reconocimiento de la dimensión psicológica y emocional del aprendizaje y de la pedagogía de lo positivo; por otra parte, partiendo del enfoque por tareas, desarrolla estrategias de aprendizaje con el objetivo de aprender para hacer.

En este marco ecléctico nace **Planet@**, un nuevo manual de Español como Lengua Extranjera dirigido a adultos y adolescentes, que es el resultado de numerosos años de experiencia docente en distintas instituciones y escuelas, tanto oficiales como privadas, tanto en cursos de inmersión en España, como en cursos extensivos en el extranjero. Y, desde luego, es el resultado de un afán continuo por aprender, por experimentar y por contribuir a una enseñanza profundamente humanística y efectiva.

Planet@ es un curso articulado en 4 niveles, cada uno de los cuales gira en torno a 5 unidades temáticas. Los temas elegidos permiten la adquisición de una comunicación auténtica y motivadora, estimulan y potencian el compromiso social y vital de l@s estudiantes, y dan como resultado no sólo la realización de actividades significativas en el aula, sino también la adquisición de una verdadera competencia intercultural.

PLANET@ 4, CURSO DE PERFECCIONAMIENTO

- Misma estructura básica de tema (tres órbitas: Lenguaje coloquial, Lenguaje profesional y Ruta literaria) de *Planet@ 3*.
- Completa el tratamiento de los puntos lingüísticos del currículo de español lengua extranjera, en especial la sintaxis de frase y período: estilo indirecto, tipos de oraciones, correlación de tiempos.
- Su nueva sección, *Tierra firme*, introduce al estudiante en la pragmática de la comunicación.
- Profundiza en el lenguaje específico del campo profesional.
- Amplía la práctica de la destreza escrita sobre textos literarios de España e Hispanoamérica.

ORGANIZACIÓN DE PLANET@ 4

5 Temas con **3 lecciones (Órbitas)** en cada uno de ellos: **15 lecciones en total**.

INTRODUCCIÓN AL TEMA
Dos páginas de sensibilización al tema con un documento auténtico de arranque, una actividad de aprendizaje y un mapa mental con los exponentes funcionales de la unidad.

ÓRBITA 1. Lenguaje coloquial. Esta **primera lección** presenta situaciones, muestras de lengua y explotación de exponentes funcionales. Sistematización activa de la gramática.
Práctica global 1. Actividad significativa, a modo de mini-tarea, resumen de la Órbita 1.

ÓRBITA 2. Lenguaje profesional. Esta **segunda lección** presenta situaciones, muestras de lengua y explotación de exponentes funcionales. Sistematización activa de la gramática.
Práctica global 2. Actividad significativa, a modo de mini-tarea, resumen de la Órbita 2.

Tierra firme es una aproximación al campo de la pragmática de la comunicación. Su finalidad es desarrollar la competencia discursiva y ayudar a manejarse con soltura en diferentes registros de lengua.

TAREA FINAL. Se propone un proyecto de clase que consiste en encontrar la mejor manera de culminar el aprendizaje del español.
En cada unidad, el/la alumn@ debe investigar y concretar diferentes opciones, para al final poder decidir qué es lo que va a hacer y qué es lo que resultaría más efectivo. El proyecto plantea la búsqueda de información en la Red, no como canal exclusivo, pero sí importante.

ÓRBITA 3. Ruta literaria. Esta **tercera lección** tiene dos secciones:
- *Taller de letras*, que tiene como objetivo principal desarrollar las destrezas lectora y escrita del/de la estudiante en el plano del lenguaje literario. El segundo objetivo es dar a conocer textos de la literatura en español, de diferentes géneros y autores/as. Los textos se entroncan con los objetivos funcionales del Tema, tienen una breve ficha biográfica del/de la autor/-a y sobre ellos se propone un trabajo activo de creación literaria.
- *Paisaje* -un reposo en el fluido del Tema- tiene como objetivo dar a conocer diferentes y variados paisajes de la ancha geografía hispana, no sólo en su sentido real sino sobre todo como paisajes del alma. También tiene como objetivo desarrollar las destrezas auditiva y lectora del/de la estudiante en el plano del lenguaje literario. Sobre el fondo de una imagen sugerente y representativa del paisaje, se presentan textos elegidos para reflejar la influencia del paisaje en el carácter o en el espíritu de las personas que lo habitan. Generalmente, el paisaje pertenece al mismo ámbito geográfico del texto de Taller de Letras.

RECUERDA (con el corazón y con la cabeza).
Dos páginas de recapitulación de la unidad, teniendo en cuenta los modos fundamentales de procesamiento de nuestro cerebro.

En autonomía
Cuatro páginas de práctica controlada de todos los contenidos de la unidad para los/as estudiantes que precisan un refuerzo en su aprendizaje.

¡Bienvenid@s a Planet@ 4!

Los autores

tema:	**1** La fantasía *de* Neptuno	**2** Las circunstancias *de* Urano
órbita 1 Lenguaje coloquial	**Funciones** Expresar deseos de difícil realización o imposibles: *Me gustaría (que).../ Preferiría (que)....* Hacer valoraciones: *No era tan bueno como creía.*	**Funciones** Expresar la opinión: *Lo que quería decir es que...*
	Gramática Uso del presente y el imperfecto de subjuntivo dependiendo de presente o de pasado: *Me sorprendió que no me llamaras.*	**Gramática** "Aunque" con indicativo y "aunque" con subjuntivo.
	Práctica global Describir el país ideal.	**Práctica global** Discutir y argumentar las razones sobre los alimentos transgénicos (textos de prensa).
órbita 2 Lenguaje profesional	**Funciones** Describir e identificar personas: *El de.../El que...*	**Funciones** Expresar la causa, consecuencia, modo o finalidad de algo.
	Gramática Oraciones de relativo con preposición.	**Gramática** El estilo indirecto o el discurso referido en pasado. Reproducir una conversación mediante la redacción de un texto.
	Práctica global Describir el proceso de elaboración de un libro.	**Práctica global** Redactar un informe sobre cómo mejorar el entorno y el ambiente de trabajo.
Tierra firme	• Reaccionar mostrando nuestros sentimientos cuando recibimos informaciones. • Expresiones de sentimiento en niveles coloquiales y formales.	• Formas de repetir nuestras propias palabras modificando el mensaje. • Formas de transmitir las palabras de alguien utilizando el discurso directo, indirecto o mixto.
tarea final	Obtener información y analizar diferentes posibilidades de mantener el aprendizaje del español en escuelas y cursos de inmersión de países hispanos.	Analizar diferentes posibilidades de mantener el aprendizaje del español mediante prácticas en empresas.
órbita 3 Ruta literaria	**Taller de letras** Desarrollo de la destreza lectora: comprensión y trabajo sobre un texto de García Márquez: fragmento de la novela *El amor en los tiempos del cólera.* Desarrollo de la destreza escrita: escribir una carta de amor. **Paisaje: río** Descripción del concepto de río: el Guadalquivir. Comprensión lectora: poema de García Lorca, *Baladilla de los tres ríos.*	**Taller de letras** Desarrollo de la destreza lectora: comprensión y trabajo sobre un texto de Vargas Llosa: fragmento de la novela *La guerra del fin del mundo.* Desarrollo de la destreza escrita: escribir un texto periodístico en el que se reproduce un debate. **Paisaje: lago** Descripción del concepto de lago: el Titicaca. Comprensión lectora: extracto de una leyenda del Inca Garcilaso de la Vega.
Recuerda	Juego de imaginación: "¿Quién soy?".	Ordenar una historia y narrarla.
	Recapitulación de los contenidos léxicos, gramaticales y funcionales.	Recapitulación de los contenidos léxicos, gramaticales y funcionales.
En autonomía	Ejercicios individuales de repaso y profundización	

3 Las condiciones *de Plutón*	**4** El tiempo *de Saturno*	**5** El deseo *del Sol*
Funciones Expresar condiciones imposibles: *Si fuera extraterrestre...*/ *Si hubiera sido extraterrestre...* **Gramática** La oración condicional con "si". El imperfecto y el pluscuamperfecto de subjuntivo en la oración condicional. El condicional simple y compuesto. **Práctica global** Expresar reproches ante una mala experiencia.	**Funciones** Ordenar cronológicamente momentos: *Primero.../ Luego.../ Entonces...* **Gramática** La oración temporal con indicativo o subjuntivo. "Antes de" y "después de" con infinitivo o subjuntivo. **Práctica global** Organizar las tareas domésticas de varias personas.	**Funciones** Hablar de los deseos o esperanzas imposibles o de difícil realización: *Ojalá hubiera...* Conjurar cosas no deseadas: *No sea que...* **Gramática** La concordancia temporal en las oraciones subordinadas sustantivas. Los tiempos del subjuntivo. **Práctica global** Dar instrucciones a un arquitecto y expresar los deseos no cumplidos o no satisfechos.
Funciones Expresar condiciones mínimas, remotas, etc. **Gramática** Uso del subjuntivo en oraciones condicionales. La concordancia temporal: presente, perfecto, imperfecto y pluscuamperfecto de subjuntivo. **Práctica global** Hablar de lo que nunca harían en la vida.	**Funciones** Relacionar momentos del pasado: *Al comienzo..., al cabo de..., más tarde...* **Gramática** Uso de los pasados para referirse a momentos anteriores. **Práctica global** Narrar la creación de una empresa sobre un extracto de su página *web*.	**Funciones** Hacer suposiciones y poner ejemplos: *Pongamos que...* Expresar que un hecho no cambiará en ningún caso: *Haga lo que haga...* **Gramática** El subjuntivo en oraciones independientes. Las oraciones reduplicativas. **Práctica global** Justificar la existencia en el futuro de determinadas máquinas y hacer un debate sobre ello.
• Iniciar una conversación con otro interlocutor. • Responder a una pregunta formulada.	• Expresar la veracidad o la sinceridad en la expresión de una información. • Rechazar lo que otra persona ha dicho.	• Dar informaciones sobre algo ya sabido o algo nuevo. • Repetir palabras como estrategia para interrumpir, expresar desaprobación, etc.
Analizar diferentes posibilidades de mantener el aprendizaje del español a distancia a través de la Red.	Analizar diferentes posibilidades de aprendizaje del español realizando una actividad de colaboración con una organización humanitaria.	Hacer una autoevaluación para establecer el nivel de español adquirido. Hacer un plan de actuación para mantenerlo o mejorarlo en el futuro.
Taller de letras Desarrollo de la destreza lectora: comprensión y trabajo sobre un poema de Benedetti, *El hijo.* Expresión escrita: escribir un texto poético hipotético. Desarrollo de la destreza lectora: comprensión y trabajo sobre un poema de Gloria Fuertes, *Tener un hijo hoy.* Escribir un texto positivo a partir de uno negativo. **Paisaje: selva** Descripción del concepto de selva: la selva colombiana. Texto de los Ticunas, mito colombiano.	**Taller de letras** Desarrollo de la destreza lectora: comprensión y trabajo sobre un poema de Neruda, *Oda al caldillo del congrio.* Expresión escrita: escribir una receta. Desarrollo de la destreza lectora: comprensión y trabajo sobre un texto de Isabel Allende, fragmento de *Afrodita.* **Paisaje: glaciar** Descripción del concepto de glaciar: los glaciares de la Patagonia. Texto sobre el glaciar Perito Moreno.	**Taller de letras** Desarrollo de la destreza lectora: comprensión y trabajo sobre un texto de Maruja Torres: fragmento de la novela *Un calor tan cercano.* Expresión escrita: escribir un texto en el que se recrea un recuerdo, un sueño. **Paisaje: desierto** Descripción del concepto de desierto: Atacama. Textos de los poetas chilenos Sergio Macías y Raúl Zurita.
Juego de condiciones y consecuencias.	Juego de parchís con los momentos positivos de las/os estudiantes.	Imagen lúdica del indicativo y del subjuntivo.
Recapitulación de los contenidos léxicos, gramaticales y funcionales.	Recapitulación de los contenidos léxicos, gramaticales y funcionales.	Recapitulación de los contenidos léxicos, gramaticales y funcionales.

sobre los contenidos de cada tema.

Dossier

1. EL MUNDO DEL ESPAÑOL:
Diferentes paisajes de una lengua

Bienvenid@ a los paisajes de nuestro planet@.
1. ¿Conoces estos paisajes? ¿Puedes situarlos en el mapa?
¿Sabes algo de ellos?

1

Hispanoamérica

ESTADOS UNIDOS

Río Grande

CUBA   REPÚBLICA DOMINICANA

MÉXICO

PUERTO RICO

HONDURAS
GUATEMALA   NICARAGUA
EL SALVADOR

VENEZUELA

COSTA RICA   Orinoco

PANAMÁ

COLOMBIA

ECUADOR

Amazonas

BRASIL

PERÚ

BOLIVIA

Titicaca

PARAGUAY

Atacama

Paraná

CHILE

URUGUAY
Río de la Plata

Patagonia

ARGENTINA

Perito Moreno

Río

Selva

Desierto

Glaciar

Lago

2  3  4  5

España

FRANCIA

Asturias Cantabria
País Vasco
Navarra
Galicia
Aragón
Castilla - León La Rioja Cataluña
Duero Ebro

Madrid

Tajo
Valencia Islas Baleares

Extremadura Castilla - La Mancha

PORTUGAL

Guadalquivir Murcia
Andalucía
Granada
Sevilla

Ceuta
Melilla

Islas Canarias MARRUECOS

 2. Escucha estos textos. Relaciona cada texto con una fotografía escribiendo el número correspondiente. ¿Qué impresión tienes de cada paisaje? ¿Has estado en alguno de ellos?

2. TÚ Y EL ESPAÑOL:

Intercambiar información personal y definir qué tipo de alumn@ eres.

1. Vamos a hacer una presentación de toda la clase.

Si el grupo ya se conoce, la clase se distribuye en parejas: cuéntale a tu pareja cuál es la historia de tu nombre, por qué te llamas así, quién y cómo eligieron tu nombre y si alguna vez has tenido un sobrenombre o apodo cariñoso, y cuál es su historia.

Si lo deseas, también puedes adoptar una identidad hispana en tus clases.

2. ¿Qué profesión te gustaría tener? Haz una descripción de tu profesión favorita, sin nombrarla, y de lo que haces, y los demás tienen que adivinarla.

Por ejemplo:

> Me levanto muy pronto por la mañana. Mi trabajo se desarrolla al aire libre y muy en contacto con la naturaleza. Me gusta que llueva, pero no demasiado, para que los resultados de mi trabajo sean buenos. En cada estación del año, mi trabajo es diferente, pero nunca descanso. El producto de mi trabajo sirve para que la gente se alimente.

3. Con tus compañeros y compañeras haz una lista de ciudades o países del mundo hispano. Sitúalos en un mapa, y elige tu lugar de procedencia y tu lugar de residencia. Cuéntales las características del lugar elegido y dónde se encuentra.

4. Ahora tienes un nivel avanzado de español. Explica a toda la clase cómo, dónde y por qué has aprendido español hasta ahora, qué materiales has utilizado, qué cursos has hecho.

5. Después de haber escuchado a la clase, te habrás dado cuenta de que cada persona ha aprendido de una manera diferente. Para saber cómo aprendemos mejor, es muy importante saber qué tipo de alumnado somos. Lee este texto.

> *Según la Programación Neurolingüística (PNL), existen tres tipos fundamentales de estudiantes según el canal de percepción predominante. Hay personas que procesan la información preferentemente por el canal **visual**, otras por el canal **auditivo** y otras por el canal cinestésico (movimiento, tacto, olfato y gusto). ¿Quieres saber qué tipo eres tú?*

6. Vas a escuchar una serie de palabras. Tienes que escribirlas en una de las cuatro columnas del siguiente esquema, según el primer tipo de percepción que te sugieran (**lo que veo**, lo que **oigo**, lo que siento con mi cuerpo, lo que huelo, gusto y toco).

Por ejemplo, "gato" puedes ponerlo en lo que ves, en lo que sientes, oyes, hueles, etc., pero ¿cuál es la primera percepción que te invade? ¿La silueta estilizada de un gato, esto es, una visión? ¿El maullido de un gato, esto es, un sonido? ¿El olor de un gato? ¿La suavidad de su pelo? ¿Una sensación placentera, hogareña?

Lo que veo	Lo que oigo	Lo que siento con mi cuerpo	Lo que huelo, gusto y toco

7. Contabiliza cuántas palabras has escrito en cada columna y compáralo con el resultado de tu compañero/a. ¿Qué tipo de percepción predomina? ¿Por qué has puesto cada palabra en una columna determinada?

Según hayas colocado tus palabras, puedes deducir qué tipo de percepción predomina en ti, si eres un/-a pensador/-a más visual o más auditivo o más cinestésico, si los resultados son equilibrados o predomina mucho una columna.

8. ¿Crees que el resultado coincide con tu modo de aprender? ¿Aprendes más a través de leer, ver imágenes, escuchar audiciones o sonidos, hablar contigo mismo/a, o bien necesitas el movimiento y las sensaciones para anclar contenidos?

Este resultado te ayudará en todo caso a mejorar tu aprendizaje y dará información a tu profesor/-a sobre las técnicas que debe utilizar en clase.

9. Habla con la clase y con tu profesor/-a sobre las actividades que van dirigidas a cada uno de estos canales de percepción.

- Visualizar historietas, cómics, dibujos o mapas.
- Audiciones de diálogos.
- Juegos de rol.
- Pantomimas, etc.

3. LA CULTURA DEL ESPAÑOL

Aquí tienes cinco obras representativas de la cultura del mundo hispano.

1

2

3

4

1. Relaciona cada obra con el nombre de su autor/-a.

a. Joan Miró
b. Pablo Picasso
c. Frida Kahlo
d. Francisco de Goya
e. Diego Velázquez

5

2. A continuación te damos algunos datos biográficos de estos artistas. Relaciona cada texto con el/la artista y la obra correspondiente.

Nació en 1910 en México y murió en 1954. Su vida estuvo marcada por la enfermedad. Dio a conocer su obra en Nueva York y en París; en ella ahonda en la problemática de la enfermedad y de la mujer, y es también un reflejo de su mundo onírico, abundando las referencias culturales y étnicas. Algunas de sus obras más famosas son: *Diego en mi pensamiento; Mis abuelos, mis padres y yo;* y su serie de autorretratos.

Nació en Sevilla en 1599 y murió en Madrid en 1660. Estuvo en Italia dos veces, donde asimiló la técnica de los grandes maestros. En su obra encontramos cuadros religiosos, retratos de la Familia Real y la nobleza y temas mitológicos. Es considerado el pintor más original y perfecto de la escuela española. Algunas de sus obras más famosas son: *Las Meninas; La Rendición de Breda; La Venus del Espejo; La Fragua de Vulcano.*

Nació en Cataluña en 1893 y murió en 1983. Profundamente influido por el surrealismo, su lenguaje artístico se caracteriza por una aparente gran sencillez en sus formas y un profundo colorido. Se le puede considerar como un creador de una atmósfera poética por medio de signos y manchas ricas en color.
Algunas de sus obras más famosas son: *La masía; El carnaval de Arlequín; Interiores holandeses; Constelaciones.*

Nació en Zaragoza en 1746 y murió en Francia en 1828. Pintor de la Corte de España y también testigo apasionado de la invasión napoleónica. En su última etapa, aquejado de sordera, sus obras adoptaron un carácter sombrío y descarnado. Son también famosos sus grabados y aguafuertes de esta época. La belleza de color, la riqueza de la inspiración y el realismo de sus obras hacen de su autor uno de los más grandes precursores de la pintura moderna.
Algunas de sus obras más famosas son: *Los fusilamientos de la Moncloa; La maja vestida y La maja desnuda;* la colección de cartones para tapices con temas populares y paisajes madrileños; las pinturas negras (serie de obras de su última etapa); *La familia de Carlos IV.*

Nació en Málaga en 1881 y murió en 1973 en Francia. Tiene una obra muy variada que pasa por distintas etapas: época azul, época rosa, cubismo, surrealismo y composiciones abstractas, expresionismo, etc., en las que desarrolla una magnífica libertad de expresión. Su arte ha ejercido una enorme influencia sobre todas las corrientes estéticas contemporáneas. Algunas de sus obras más famosas son: *Guernica; Las señoritas de Aviñón; El arlequín.*

3. Elige tu obra preferida entre las cinco. ¿Cuál te gusta más? ¿Por qué? ¿Qué tema plantea? ¿Qué expresa? ¿Qué te hace sentir? Cuenta a la clase cuál has elegido, por qué, y lo que sabes de ella, de su época y de su autor/-a.

4. TÚ Y LA CLASE DE ESPAÑOL:

¿Cuáles son tus conocimientos de español?

El Consejo de Europa ha elaborado un documento llamado "Portfolio" Europeo de Lenguas. Este documento es un instrumento de información y un acompañante del proceso de aprendizaje de una lengua. Uno de sus elementos ya está en *Planet@ 3*: el Pasaporte Lingüístico. Otro de sus elementos lo veremos ahora: la Biografía de Aprendizaje Lingüístico.

La Biografía contiene la historia de tu aprendizaje lingüístico: detalles de las experiencias interculturales y lingüísticas significativas que has tenido, e información acerca de las escuelas donde has aprendido y los cursos que has realizado con sus correspondientes materiales.

Vamos a hacer nuestra Biografía de Aprendizaje Lingüístico de las lenguas que conozcamos.

MI BIOGRAFÍA PERSONAL DE APRENDIZAJE DE LENGUAS

Fecha de comienzo de aprendizaje de la lengua ....

Cronología de mi experiencia de aprendizaje:

Fecha   Escuelas/Cursos (indicando duración, número de horas, intensidad).
....
....
....

Lenguas con las que he crecido.

....

Áreas lingüísticas en las que he vivido.

....

Práctica del idioma en el trabajo, en la formación, en viajes, etc.

....

Experiencias de aprendizaje y progreso.

....
....

INFORMACIÓN ACERCA DE EXPERIENCIAS LINGÜÍSTICAS E INTERCULTURALES IMPORTANTES

En este lugar debes dar (de una manera más detallada que en el documento anterior) información sobre tus experiencias lingüísticas e interculturales más importantes, y que han contribuido a ampliar tu conocimiento de países, personas, sociedades y culturas de diferentes áreas lingüísticas. Puedes ordenar la información como tú quieras, por ejemplo, cronológicamente, por tipo de experiencia o por idioma.

A. Experiencias interculturales (encuentros con el país, la cultura o los hablantes de la lengua).

B. Otras actividades que te han llevado a un mayor conocimiento de la sociedad y de la cultura (arte, música, cine, teatro, prensa, literatura, historia, Internet y medios de comunicación, etc.).

C. Uso práctico de la lengua en situaciones específicas (trabajo, estudios, escuela, tiempo libre, amistades, etc.).

D. Trabajos escritos o proyectos en lengua extranjera.

....
....
....
....
....
....
....
....
....
....
....
....
....
....
....
....

5. TÚ Y ESTE CURSO DE ESPAÑOL:

Tarea Final

En este curso, igual que en *Planet@ 3*, queremos que seas capaz de realizar actividades significativas poniendo en práctica y movilizando todos los recursos que vas adquiriendo. Es un tipo de aprendizaje que está orientado a la realización de una tarea final.

En este tipo de actividad es fundamental la negociación continua de los contenidos, procedimientos y objetivos de la tarea con los compañeros y compañeras.

Aprender un idioma no es sólo un proceso secuencial; también se trata de aprender a interactuar en un nuevo sistema. Por eso te proponemos que a lo largo de *Planet@ 4* realices un proyecto que dé sentido a todo el proceso de aprendizaje.

En tu nivel de lengua es normal y necesario que te plantees cómo culminar tu aprendizaje del español con un proyecto real, que se oriente hacia tu futuro académico o profesional. Si has llegado hasta aquí... ¡prepárate para despegar!

La Biografía de Aprendizaje que has realizado es tu punto de partida, porque te indica la dirección que debes tomar, tus lagunas y tus puntos fuertes.

En cada unidad debes investigar y concretar cómo perfeccionar tu español de diferentes maneras, para decidir al final qué es lo que resultaría más efectivo, una vez sabido qué es lo que va a hacer el resto de la clase.

PASOS

PASO 1

En la Unidad temática 1:

Informarte de cursos de español en España e Hispanoamérica: escuelas, universidades, centros públicos y privados, precios y fechas de los cursos, tipos de cursos, modalidades de alojamiento, contenido de los cursos, niveles, etc.

PASO 2

En la Unidad temática 2:

Informarte de cómo podrías realizar prácticas en una empresa española o hispanoamericana, para afianzar tus conocimientos; qué tipo de empresa te interesaría, quién te lo gestionaría, cuánto costaría, etc.

PASO 3	**En la Unidad temática 3:**
	Investigar las posibilidades de formarse a distancia: Internet, cursos a distancia, alternativas a través del ordenador y multimedia, cursos por televisión, etc.
PASO 4	**En la Unidad temática 4:**
	Investigar las posibilidades de seguir aprendiendo español colaborando en alguna organización particular o iniciativa gubernamental de ayuda a otros países de habla hispana, o de colaboración cultural o a través de una beca.
PASO 5	**En la Unidad temática 5:**
	Comparar resultados, ponerlos en común con compañer@s y profesores/as y decidirse.

¡Manos a la obra!

TAREA

Con las biografías de aprendizaje en la mano, la clase se distribuye en pequeños grupos. Cada persona debe comentar su biografía y analizarla con los demás. A partir de ello, individualmente debe constatar y formular sus objetivos y planes.

¿Qué quiero aprender?
¿Cómo quiero aprender?
¿Por qué quiero perfeccionar esa lengua?
¿Qué actividades necesito desarrollar en esa lengua?
¿Aprendo para trabajar, viajar o estudiar?
¿Es más importante para mí comprender, leer, hablar o escribir?
¿Quiero tomar parte en un curso, aprender con un intercambio "tandem" o pasar un tiempo en un área lingüística hispana?

(Documento del European Language Portfolio)

¡Buena suerte!

La fantasía de Neptuno

El planeta Neptuno es el más alejado del Sol, después del pequeño Plutón. Se lo relaciona con el deseo de sublimación y suele indicar fantasía y autoengaño. En la mitología romana, asociado a Poseidón griego, era el dios de los mares y estaba muy vinculado con los caballos.

Vas a aprender a...

Mostrar tus sentimientos de…
- Indiferencia — Me da igual que…
- Escándalo — Me indigna que…
- Aprobación — Me parece muy bien que…

Identificar personas
- El/la que…
- Con el/la que…
- A quien…

Expresar cómo te gustaría — Preferiría que fuera…

Hablar de
- Valoraciones pasadas — No me gustó tanto como esperaba.
- Sentimientos pasados — Lo que más me gustaba era que…
- Reacciones pasadas — Lo que me sorprendió fue que…

1. Aquí tienes tres objetos cotidianos y funcionales. Pon en marcha tu fantasía: imagínate y, si quieres, dibuja estos mismos objetos con un aspecto o diseño diferente, más sugerente y fantástico.

¿Utilizas a menudo la fantasía? ¿En qué momentos o actividades? Cuéntaselo a tu compañero/a y dile qué es para ti la fantasía.

2. Lee este texto.

La fantasía es una puerta a nuestro mundo interior, ese reino mágico donde la imaginación crea sus propias realidades. La fantasía es un valioso instrumento de enseñanza y una habilidad del pensamiento que todo/a alumno/a debe aprender a emplear. Un ejemplo notable del poder de este tipo de pensamiento -la fantasía de Einstein que le permitió verse a sí mismo cabalgando en un rayo de luz- desempeñó un papel importante en el descubrimiento de la teoría de la relatividad.

La mente debe estar en un estado de atención relajada y receptiva a la imaginería interior. Ese estado receptivo es la llave de la fantasía.

(De *Aprender con todo el cerebro*, Linda VerLee Williams.)

3. Busca en el diccionario sinónimos de "fantasía" y escribe cinco frases en las que aparezca esta palabra.

4. Discutimos con los/las compañeros/as qué es la fantasía y llegamos a una definición.

fantasía

órbita 1
LENGUAJE COLOQUIAL

1. ¿Qué estereotipos hay sobre tu país?

1

"El Juli"

2

2. Los estereotipos a veces se rompen y a veces se refuerzan. Aquí vamos a escuchar a un grupo de estudiantes extranjeros hablando sobre sus impresiones sobre España y los españoles. Toma notas y contesta a las preguntas.

1. Marca de qué temas hablan:

☐ Sobre la puntualidad.
☐ Sobre la siesta.
☐ Sobre la amabilidad de las personas.
☐ Sobre las formas de cortesía.
☐ Sobre la relación con el dinero.

☐ Sobre la disciplina.
☐ Sobre la superficialidad.
☐ Sobre el tiempo libre y el ocio.
☐ Sobre el contacto físico.
☐ Sobre la comida y la alimentación.

2. Contesta a estas preguntas:

1. ¿Qué cosas de la cultura española les gustan?
2. ¿Qué cosas no?
3. ¿Con qué aspectos de la cultura española no están de acuerdo? ¿Por qué no están de acuerdo?
4. ¿Tú qué opinas, cuánto de verdad y cuánto de mentira hay en los estereotipos?

3. Aquí tienes una lista de algunas expresiones para hablar de sentimientos, reacciones y deseos. Escucha otra vez la cinta y marca las expresiones que oigas.

☐ Me siento
☐ Me fastidiaba
☐ Me extrañaría que

☐ No me gusta
☐ Me daba vergüenza
☐ Me sorprendería que

☐ Me sentía
☐ Echaba de menos
☐ Me encantaría que

☐ Me extraña que   ☐ Me indigna, me molesta   ☐ Me ha molestado que
☐ Me ha gustado   ☐ Me gustó que   ☐ Me extrañó que
☐ Me sorprendió que   ☐ No me importa   ☐ Me da lo mismo
☐ Me deja frío/a   ☐ Me fastidia   ☐ Me da rabia
☐ Me gustaría   ☐ Desearía   ☐ Necesitaría

4. Con tu compañero/a, clasifica estas expresiones según su significado: deseos, sentimientos, etc. ¿Puedes ampliar la lista? Discute los resultados con toda la clase para elaborar un esquema completo.

5. Piensa en tu país y haz dos listas: una con las cosas que te gustan y otra con las cosas que no. Con la que has hecho de las cosas que no te gustan, piensa qué te gustaría cambiar.

Para ayudarte

Me gustaría que...
Preferiría que... } + imperfecto de subjuntivo
Sería mejor que...

6. Piensa en cuando empezaste a aprender español. Recuerda lo que hacías, lo que aprendías, etc. ¿Tienes la misma impresión ahora? ¿Lo aprendes igual? Discútelo en el pleno con tus compañeros/as.

Para ayudarte

Al principio el español me parecía..., pero ahora...
A mí me gustaba mucho...
Para mí lo más fácil era...
Lo que más me gustaba era...

7. Pregúntale a tu compañero/a cuáles son las actividades que ha realizado últimamente en su tiempo libre y qué le han parecido.

La última película que vio, el último restaurante en el que comió,
la última persona a la que conoció...

Para ayudarte

No me gustó/me ha gustado tanto como me imaginaba.
Me ha parecido mejor de lo que esperaba.
No me ha parecido tan bueno como me habían dicho.

GRAMÁTICA ACTIVA

8. Observa estas frases y marca el presente y el imperfecto de subjuntivo.

A mí, que la gente sea seca en las tiendas me da igual.

A mí, cuando llegué, me chocó mucho eso de que la gente cruzara la calle con el semáforo en rojo.

Lo que más me sorprendió cuando llegué fue que hubiera tanta gente en la calle.

Me extraña que los españoles coman tanto y estén tan delgados.

A mí me extrañó muchísimo que la gente hablara de una manera tan brusca.

Me alegro de que mi amigo César me recomendara venir a España. Es un país fascinante.

¿Hay algo que les gustaría que fuera diferente?

Quizá me gustaría que la gente fuera más formal.

Necesito que mis profesores me aclaren mejor algunas diferencias regionales en los hábitos de la gente.

Me sorprende que el primer día de clase mi profesora dijera que los españoles son machistas; a mí no me lo parece.

9. Este tipo de oraciones funciona así:

 **Observa**

INTERESAR	+ un objeto (sustantivo)
NECESITAR	+ una acción (verbo en infinitivo)
GUSTAR	+ algo que otros hacen (que + subjuntivo)

¿Cuándo se utiliza el presente de subjuntivo y cuándo el imperfecto de subjuntivo?

10. **Relaciona**

a. El otro día no me dijiste la verdad.
b. Ayer me cediste el paso.
c. He recibido un ramo de flores virtual, y no sé de quién.
d. Hace 15 días que se fue Antonio.
e. Se me ha roto la impresora.
f. Tengo que entregar mi tesis doctoral.
g. Me dijiste que me ibas a llamar y te estuve esperando todo el día.
h. En la fiesta te has comportado como un niño.

1. Me sorprendió que no me llamaras, la verdad.
2. Me encanta que seas tan educada.
3. Necesito que me prestes la tuya.

4. Odio que seas tan inmaduro.
5. Me hiere que me mintieras sobre este asunto.
6. Me gustaría que volviera pronto.
7. Necesitaría que alguien me revisara el estilo.

8. Me encanta que me sucedan cosas especiales.

11. ¿Puedes imaginar lo que ha podido suceder para que estas personas hayan dicho estas frases? Deja volar tu fantasía.

- Me alegré de que Mercedes no aprobase ese examen.
- Me encantó que me llamaras tan tarde.
- Me sorprendió que todo saliese tan bien.
- Necesito que seas más duro conmigo.
- Me gustaría que no lo hicieras.
- Necesitaría que me dieras otro.
- Me ha gustado que por primera vez se haya acordado de mi cumpleaños.

Me extraña que te diga que te quiere.

12. Reacciona ante estas situaciones.

- Has quedado con unos amigos y no llegan.
- Estás preparando la comida, abres la nevera y descubres que tu compañero de piso se lo ha comido todo.
- Ayer tenías que entregar un informe y tu impresora no funcionó bien. Hablas con el responsable de mantenimiento.
- La semana pasada tu compañera de oficina te invitó a desayunar.
- Te han invitado a una fiesta y no tienes nada adecuado que ponerte.
- El otro día ibas a viajar con tu coche y descubriste que la puerta estaba forzada.
- El otro día te sentiste muy sola.

Práctica global 1

1. Todos/as nosotros/as conocemos otros países y culturas, bien porque hemos viajado, bien por el cine, la televisión, la literatura. Primero haz una lista grande de esos países con tus compañeros/as. Cada uno/a escribe debajo cosas que le han gustado, le han sorprendido positivamente, le encantan, etc.

Cuando estuve en Cuba, me encantó que la gente estuviera tan relajada.
He visto un documental sobre... y me gustó que...
Lo que más me gusta de Brasil es que...
Me gustan los países en los que la gente actúa como si no existiera el tiempo.

2. Después de leer todas las ideas de tus compañeros/as, piensa cómo sería el "país perfecto" para ti. Escribe un texto y cuélgalo en la pared junto con los de tus compañeros/as.

A mí me gustaría que la gente se tomara las cosas con calma.
Me encantaría que todo estuviera muy bien organizado.
Lo mejor sería que hiciera calor durante todo el año.
Yo preferiría que no hiciera falta el dinero para vivir.

3. La clase tiene que adivinar quién ha escrito cada papel.

4. Todos los países tienen algo "ideal". ¿En qué se parece tu país a este perfil ideal?

órbita 2
LENGUAJE PROFESIONAL

1. Aquí tienes este cuestionario para analizar tu autoestima. Te será muy útil para mejorarla y fortalecerla. Contesta a las preguntas y comenta tus respuestas con tu compañero/a.

1. ¿Eres capaz de decir "no" a un/-a compañero/a o a tus superiores/as?
2. ¿A qué tipo de gente envidias y por qué?
3. ¿Cómo evalúas tu aspecto físico en el trabajo?
   a. Adecuado.
   b. Correcto.
   c. Impecable.
   d. Impropio.
4. ¿Sientes que tus compañeros/as y superiores/as te valoran?
5. Cuando alguien te da una gratificación que no esperabas, ¿qué respondes?
   a. No deberías haberlo hecho.
   b. ¿Qué he hecho yo para merecer esto?
   c. Gracias.
6. ¿Qué haces cuando estás enfadado/a?
   a. Finges que todo va bien.
   b. Te sientes culpable de estar enfadado/a.
   c. Demuestras que estás enfadado/a.
7. ¿Haces valer tu autoridad, cuando es preciso, sin sentirte culpable?
8. ¿Qué sientes cuando trabajas en equipo?
   a. Satisfacción.
   b. Temor.
9. ¿Te sientes culpable si no satisfaces las expectativas que otros/as han depositado en ti?
10. ¿Sueles pensar que no ganas suficiente dinero?

2. Escucha esta conferencia sobre la autoestima y toma notas.

¿Estás de acuerdo con el autor en la importancia de la autoestima?

¿Crees que cambiar tus actitudes puede cambiar tu realidad laboral?

¿Crees que la fantasía es un arma tan poderosa?

¿Qué relación tiene todo esto con el cuestionario que has trabajado antes?

3. Aquí tienes los comentarios de una persona sobre los resultados de su cuestionario. Presta atención, porque no responde a todas las preguntas.

Pues después de haber rellenado este cuestionario, no sé, creo que mi autoestima es muy baja, en el trabajo lo noto mucho. Por ejemplo, yo soy una persona que soy incapaz de decir no a personas con las que no tengo mucha confianza o en las que no confío. Cuando estoy enfadada con los compañeros con los que trabajo directamente, siempre lo disimulo. No me identifico con la ropa que llevo al trabajo, a veces me parece que me paso de formalidad y, a veces, que me quedo corta.

Lo peor de todo es que no me siento apreciada por quienes yo aprecio. Me fastidia que los demás me vean así. Cuando me encuentro en el restaurante con los que trabajan en otro departamento, me siento insegura y cortada. Los que tienen un puesto superior me intimidan y con los que están por debajo de mí no me siento identificada. Con los que mejor me llevo es con los proveedores externos.

 **Observa**

4. Aquí tienes la foto de unas personas que trabajan en una editorial. Imagina quién es quién, cuál es la responsabilidad de cada uno/a y haz el organigrama.

Ejemplo: Yo creo que el Director General es el que está a la izquierda. Él se encarga de dirigir la empresa y de coordinar el trabajo de todos.

5. ¿Cuál es tu trabajo ideal? Aquí tienes una serie de ideas, señala cuáles son importantes para ti, qué consideras que es un trabajo ideal. Si lo deseas puedes añadir otras:

- Una empresa con posibilidades de promoción.
- Un equipo con el que se trabaja a gusto.
- Formación continua.
- Una remuneración alta.
- Un puesto de trabajo con mucha responsabilidad y autonomía en la toma de decisiones.
- Una jornada de trabajo flexible.
- Una cultura de empresa con la que me puedo identificar.
- Un lugar de trabajo con una buena infraestructura y medios técnicos muy modernos.
- Una empresa humanista.
- Una empresa con la jerarquía muy definida.
- Un/-a jefe/a con capacidad de mando.
- Muchas vacaciones y días libres.

Ejemplo: Me gustaría tener un/-a jefe/a en el/la que pueda confiar.

6. Relaciona

a. Soy incapaz de decir que no a personas   1. a las que yo aprecio.
b. Estoy enfadada con los compañeros   2. con las que no tengo mucha confianza.
c. No me siento apreciada por las personas   3. con los que están por debajo.
d. No me siento identificada   4. con los que trabajo.
e. Mi despacho es el lugar   5. en el que más a gusto me siento.

7. **En las frases anteriores nos referimos a personas o cosas con las que establecemos una relación expresada a través de la preposición. Márcalas.**

 Observa

> Para referirnos a personas o cosas, podemos utilizar:
>
> | A, con, de, en, para, por, sin, sobre, etc. | el/la los/las | que | + frase |
> |---|---|---|---|
>
> Cuando nos referimos a personas también podemos utilizar "quien/quienes" o "cual/cuales", en vez de "que".
>
> No me siento apreciada por las personas a quienes yo aprecio.

8. **Imagina que eres el/la secretario/a de una escuela de español y que estás explicando el trabajo a una persona que se acaba de incorporar a la secretaría. Observa los recados de lo que tiene que hacer y explícaselo. Construye una frase como en el modelo.**

Ejemplo: Esta es Violeta, la directora, con la que tienes que despachar todos los lunes.

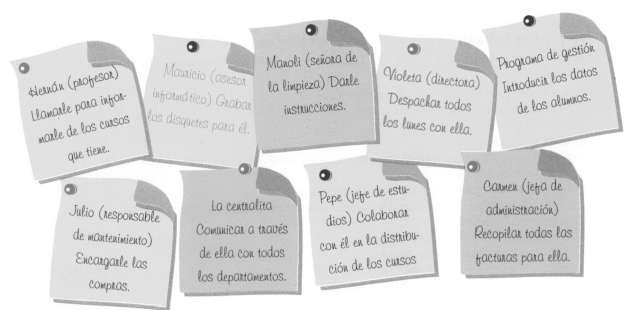

Hernán (profesor) Llamarle para informarle de los cursos que tiene.

Mauricio (asesor informático) Grabar los disquetes para él.

Manoli (señora de la limpieza) Darle instrucciones.

Violeta (directora) Despachar todos los lunes con ella.

Programa de gestión Introducir los datos de los alumnos.

Julio (responsable de mantenimiento) Encargarle las compras.

La centralita Comunicar a través de ella con todos los departamentos.

Pepe (jefe de estudios) Colaborar con él en la distribución de los cursos

Carmen (jefa de administración) Recopilar todas las facturas para ella.

Práctica global 2

1. Aquí tienes las responsabilidades de algunos puestos de trabajo de la editorial anterior. Imagina que eres uno/a de los/as trabajadores/as y explica cómo es tu relación con cada uno/a.

○ **Dirección de Edición:** Recibe los manuscritos de los/as autores/as. Los revisa en colaboración con ellos/as y con las Responsables de Proyectos y Técnicas editoriales adjuntas a Edición. Entrega los manuscritos revisados al Departamento de Imagen y Producción. Corrige las pruebas que le da este. Distribuye el trabajo entre sus adjuntas.

Técnicas editoriales: Colaboran como adjuntas con la Dirección de Edición. Reciben los manuscritos de esta. Piden derechos de reproducción y pasan los documentos terminados al Departamento de Imagen y Producción.

Dirección de Imagen y Producción: Recibe de la Dirección de Edición los manuscritos revisados. Recibe de la Dirección General y de la Dirección de Marketing datos sobre el público meta. Recibe los documentos terminados de las adjuntas de Edición. Crea un concepto de diseño y elabora una propuesta de producto para la Dirección.

Dirección de Administración de Ventas: Recibe los pedidos de los/as clientes/as, los gestiona con el Responsable de Almacén y ordena los pedidos para el Departamento de Gestión de Clientes. Informa a la Dirección General de la marcha de los pedidos. Elabora la información para el Departamento de Marketing.

Dirección de Marketing: Estudia el mercado y elabora, en colaboración con la Delegada Pedagógica, una estrategia de marketing y de actuación pedagógica para la Dirección General. Da datos a la Dirección de Imagen y Producción sobre las características del público meta. Elabora para sus vendedores/as el plan de promoción. Solicita del Responsable de Almacén los ejemplares de promoción.

○ **Dirección General:** Recibe la información de todos los departamentos y establece la estrategia general de la empresa. Selecciona a los/as autores/as y habla con ellos/as de los productos. Se comunica con la Secretaria de Dirección y establece con ella su agenda. Revisa con el Departamento de Gestión de Clientes los informes sobre la administración de la empresa y decide con la Dirección de Marketing las estrategias de promoción.

D. Ed.: Imagen y Producción es el Depto. al que le entrego los manuscritos que me dan los autores.

2. Imagina con tus compañeros/as cuál es el proceso de creación de un libro.

3. Con tu compañero/a busca otro producto e imagina cuál es su proceso de elaboración.

1

1. En español, por lo general, al recibir información contestamos de distintas maneras: con otra pregunta, con una información que la otra persona no tiene, o con una reacción a la información que se nos da.
Aquí tienes algunas expresiones para reaccionar frente a una información. Clasifícalas según expresen:

a. Indiferencia
....
....

b. Actitud escandalizada
....
....

c. Sorpresa o extrañeza
....
....

d. Compasión
....
....

e. Resignación
....
....

f. Satisfacción/gusto
....
....

g. Tranquilidad
....
....

h. Crítica
....
....

i. Acuerdo y desacuerdo
....
....

j. Esperanza
....

k. Comparación con/evocación de otras situaciones
....

¡Ah!	Ah, ¿sí?	Yo que tú/usted/él..., habría...
¡Hombre!	¡Desde luego!	Tienes razón.
¡Hay que ver!	¡Será posible!	¿Tú crees?
¡Qué barbaridad!	¿Sí?	¡Cómo que + ...!
¡No me digas!	¿De veras/de verdad?	Dios lo quiera.
¡No puede ser!	¡Qué raro/extraño!	Eso espero.
¡Fíjate!	¡Es increíble/alucinante!	No te preocupes.
¡Qué pena!	Me extraña.	Ya verás como/que...
¡Cómo/cuánto lo siento!	¡Qué lástima!	Y tú/usted... ¿por qué (no)...?
¡Qué se le va a hacer!	Lo siento mucho.	Sí, sí, de acuerdo.
¡Vaya por Dios!	¡Qué le vamos a hacer!	Sí, quizás sí.
Me alegro (por ti/él/...)	¡Qué bien!	¡Qué va!
¡Por fin!	¡Qué suerte!	Ojalá.
Como si...	Ni que...	Espero que sí.
No será nada.	Vamos a ver.	

2. ¿Cómo reaccionarías ante estas informaciones? Escucha y expresa tu reacción.

1. ....
2. ....
3. ....
4. ....
5. ....
6. ....
7. ....
8. ....
9. ....
10. ....

3. Con tu pareja, elige una de las expresiones, crea un contexto y escribe un diálogo.

2

1. Cuando hablamos de cualquier cosa, elegimos unas expresiones u otras dependiendo de la situación en la que hablamos, del interlocutor, etc.

Observa este cuadro:

	NIVEL COLOQUIAL	NIVEL FORMAL
Malestar	me molesta me fastidia me revienta	me disgusta me hiere me incomoda
Alegría	estoy contento/a me vuelve loco/a me chifla/encanta	me produce mucha alegría adoro me apasiona
Tristeza	estoy hecho/a trizas estoy triste estoy mal	estoy destrozado/a estoy desolado/a estoy muy afligido/a estoy apenado/a
Simpatía	me cae bien me cae simpático/a le tengo mucho cariño	me es simpático/a me resulta simpático/a le tengo gran afecto

2. Con tus compañeros/as, imagina otros sentimientos y su expresión y formúlalos en los dos niveles: coloquial y formal.

3. Raúl está muy deprimido porque últimamente las cosas le han ido muy mal con su novia y con su trabajo. Observa a los que le rodean: ellos hablan de cómo es él y de lo que le ha pasado. Elige uno e imagina lo que dice.

psicóloga

Raúl me cae muy bien y me fastidia cómo está.

amigo

novia

Raúl

portera

padres

jefe

Vamos a informarnos de cursos de español en países de habla hispana: escuelas, universidades, centros públicos y privados, precios y fechas de los cursos, tipos de cursos, modalidades de alojamiento, contenido de los cursos, niveles, etc.

1. Imagina en qué país o en qué zona geográfica te gustaría estudiar, qué tipo de escuela es la ideal para ti, en qué clase de alojamiento estarías interesado/a, si desearías un programa cultural organizado o no, etc. Haz una lista.

2. Habla con tus compañeros/as. Entre todos/as se elabora un perfil del lugar para aprender español.

Español Lengua Extranjera

- Tipo de país al que os gustaría ir.
....

- Tipo de escuela: pública/privada.
....

- Con alojamiento organizado: tipo de alojamiento.
....

- Con programa cultural y de tiempo libre.
....

- Tipo de curso:
	- Intensivo ☐
	- Extensivo ☐
	- Individual ☐
	- Preparación para obtener diplomas ☐
	- Español con fines específicos ☐

- Metodología:
	- Comunicativa ☐
	- Académica ☐
	- Otra:........ ☐

- Otros servicios:
....

Español Lengua Extranjera

E/LE

FINAL

3. Aquí tienes direcciones postales y electrónicas de algunos organismos públicos y privados de España. Con tu compañero/a elige una de ellas y trata de obtener información. Luego la tendrás que transmitir al resto de tus compañeros/as.

*Ministerio de Educación, Cultura y Deportes
Secretaría General Técnica
Subdirección General de Cooperación Internacional
Paseo del Prado, 28
28071 Madrid (España)
Tel. 915.065.600
http://www.mec.es

*Instituto Cervantes
Calle Francisco Silvela, 82
28028 Madrid
Tel: 914.367.600
http://www.cervantes.es

*Español Recurso Económico
Plaza de Santa Bárbara, 8
28004 Madrid
Tel: 913.084.096
E-mail: ere.espa@teleline.es

http://www.language-course-finder.com

http://www.language-learning.net

4. Informa a tus compañeros/as de lo que has encontrado junto con tu pareja.

5. Toda la clase discute las ventajas y las desventajas de cada una de las propuestas y decide dónde le gustaría hacer el curso de español.

....
....
....

órbita 3
RUTA LITERARIA
taller de letras

1. ¿Has estado alguna vez enamorado/a? ¿Qué se siente cuando se está enamorado/a? Haz una lista de sentimientos y expresiones con el resto del grupo.

perder el apetito

ver todo de color de rosa

Estar enamorado/a

2. Lee este texto.

Florentino Ariza escribía todas las noches sin piedad para consigo mismo, envenenándose letra por letra con el humo de las lámparas de aceite de corozo en la trastienda de la mercería, y sus cartas iban haciéndose más extensas y lunáticas cuanto más se esforzaba por imitar a sus poetas preferidos de la Biblioteca Popular, que ya para esa época estaba llegando a los ochenta volúmenes. Su madre, que con tanto ardor lo había incitado a solazarse en su tormento, empezó a alarmarse por su salud. "Te vas a gastar el seso –le gritaba desde el dormitorio cuando oía cantar los primeros gallos-. No hay mujer que merezca tanto." Pues no recordaba haber conocido a nadie en semejante estado de perdición. Pero él no le hacía caso. A veces llegaba a la oficina sin dormir, con los cabellos alborotados de amor, después de haber dejado la carta en el escondite previsto para que Fermina Daza la encontrara de paso hacia el colegio. Ella, en cambio, sometida a la vigilancia del padre y a la acechanza viciosa de las monjas, apenas si lograba completar medio folio del cuaderno escolar encerrada en los baños o fingiendo tomar notas durante la clase. Pero no sólo por las prisas y sobresaltos, sino también por su carácter, las cartas de ella eludían cualquier escollo sentimental y se reducían a contar incidentes de su vida cotidiana con el estilo servicial de un diario de navegación. En realidad eran cartas de distracción, destinadas a mantener las brasas vivas pero sin poner la mano en el fuego, mientras que Florentino Ariza se incineraba en cada línea. Ansioso de contagiarla de su propia locura, le mandaba versos de miniaturista grabados con la punta de un alfiler en los pétalos de las camelias. Fue él y no ella quien tuvo la audacia de poner un mechón de su cabello dentro de una carta, pero no recibió nunca la respuesta anhelada, que era una hebra completa de la trenza de Fermina Daza. Consiguió al menos que diera un paso más, pues desde entonces ella empezó a mandarle nervaduras de hojas disecadas en diccionarios, alas de mariposas, plumas de pájaros mágicos, y le regaló de cumpleaños un centímetro cuadrado del hábito de San Pedro Claver de los que se vendían a escondidas por aquellos días a un precio inalcanzable para una colegiala de su edad.

3. Contesta a estas preguntas.

1. ¿Cómo eran las cartas de Florentino Ariza? ¿De dónde sacaba la inspiración para escribirlas? ¿Cómo y cuándo las escribía?

2. ¿Qué pensaba la madre sobre el enamoramiento de su hijo?

3. ¿Cómo le hacía llegar las cartas a Fermina Daza?

4. ¿Qué diferencia había entre las cartas de Florentino y las de Fermina? ¿Por qué eran distintas?

5. ¿Cómo describirías los sentimientos de Florentino? ¿Y los de Fermina?

6. Imagina qué es lo que pasa en esta historia, cuál es la situación, quiénes son Fermina y Florentino. Discútelo con el resto de la clase.

4. Este es un fragmento de *El amor en los tiempos del cólera*, del escritor colombiano Gabriel García Márquez. Aquí tienes algunos datos biográficos.

Gabriel García Márquez

Gabriel García Márquez es un escritor colombiano nacido en Aracataca, en 1928. Se le considera uno de los mayores novelistas del siglo XX y obtuvo el Premio Nobel en 1982. Es uno de los creadores de la corriente que se conoce como "realismo mágico" en la literatura hispanoamericana, y la obra que mejor la representa es, sin duda, *Cien años de soledad*, con la que en 1967 consiguió fama mundial. Con sus recuerdos de la niñez, las leyendas populares y la fantasía teje el mundo asombroso de la aldea de Macondo, donde transcurre la acción.

El amor en los tiempos del cólera (1985) es la hermosa historia de un amor que sabe esperar y vencer el paso del tiempo. Otras novelas suyas muy conocidas, de las que alguna ha sido llevada al cine, son, entre otras, *El coronel no tiene quien le escriba* (1961), *Crónica de una muerte anunciada* (1981) y *El general en su laberinto* (1989), cuyo protagonista es Simón Bolívar.

5. ¿Qué te sugiere el título de este libro de García Márquez?

6. García Márquez habla en esta novela de la obsesión y de la exacerbación del deseo amoroso, que se llegan a parecer a la muerte y a la enfermedad: "Los síntomas del amor son los mismos del cólera". La clase se divide en dos grupos; uno escribirá la carta de Florentino y otro la de Fermina.

Carta de Florentino: en ella, este describe sus sentimientos hacia Fermina, le indica que le envía un mechón de su cabello y le pide que le envíe una prueba de amor a cambio.

Carta de Fermina: en ella, esta le habla de su vida y sus actividades cotidianas "con el estilo servicial de un diario de navegación".

RUTA LITERARIA
paisaje: río

1. ¿Qué sientes tú a las orillas de un río?
¿Qué significa para ti un río?

2. ¿Conoces los ríos más importantes de España y de Hispanoamérica? ¿Podrías ubicarlos en los mapas de las páginas 6 y 7?

Duero, Ebro, Guadalquivir, Tajo, Río de la Plata, Río Grande, Paraná, Orinoco, Amazonas

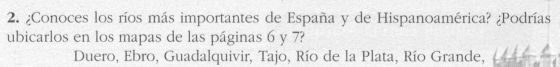

río

Río, metáfora del tiempo, cauce eterno y transitorio, espejo del alma, corriente de sentimientos, siempre nuevo y siempre el mismo. Ciudades, valles, campos atravesados por los cauces de ríos de poesía.

Ríos grandes, gigantescos; ríos pequeños, casi estanques; ríos de sombra, de luces; ríos que mueren en el mar, nacen en la montaña, atraviesan la tierra, reflejan el cielo, acarician el aire. Ciudades atravesadas, nacidas a las orillas de ríos, memoria histórica y sentimental.

El río Guadalquivir, moro, gitano, andaluz y universal, le habla al tiempo en español.

3. Aquí tienes fragmentos de poesías en español que hablan sobre el río.

Nuestras vidas son los ríos
que van a dar a la mar,
que es el morir.
Jorge Manrique

Porque en el alma del río no hay inviernos:
de su fondo le florecen
cada mañana, a la orilla,
tiernas primaveras blandas.
Gerardo Diego

Mirar el río hecho de tiempo y agua
y recordar que el tiempo es otro río,
saber que nos perdemos como el río
y que los rostros pasan como el agua.
Jorge Luis Borges

Un río es agua, lágrimas: mas no sé quién las llora.
Dámaso Alonso

BALADILLA DE LOS TRES RÍOS

El río Guadalquivir
va entre naranjos y olivos.
Los dos ríos de Granada
bajan de la nieve al trigo.

¡Ay amor
que se fue y no vino!

El río Guadalquivir
tiene las barbas granates.
Los dos ríos de Granada,
uno llanto y otro sangre.

¡Ay amor
que se fue por el aire!

Para los barcos de vela
Sevilla tiene un camino.
Por el agua de Granada
sólo reman los suspiros.

Guadalquivir, alta torre
y viento en los naranjales.
Darro y Genil, torrecillas
muertas sobre los estanques.

¡Ay amor
que se fue por el aire!

¡Quién dirá que el agua lleva
un fuego fatuo de gritos!

¡Ay amor
que se fue y no vino!

Lleva azahar, lleva olivas.
¡Andalucía! A los mares.

¡Ay amor
que se fue por el aire!
¡Ay amor
que se fue y no vino!

Federico García Lorca

Nació en 1898 en Fuentevaqueros (Granada) y murió asesinado en Granada en 1936, al estallar la Guerra Civil española. Desde 1919 vivió en Madrid en la famosa Residencia de Estudiantes y se relacionó con el artista Dalí, el director de cine Buñuel y otros miembros del surrealismo español. Con Rafael Alberti y Vicente Aleixandre entre otros, forma parte del grupo de poetas denominado "Generación del 27". Fue un gran conocedor del folclore andaluz, músico y pintor. Su obra poética de raíces folclóricas más famosa es el *Romancero gitano*.
De estilo surrealista es, en cambio, *Poeta en Nueva York*, fruto de su viaje en 1929-30 por Estados Unidos, Canadá y Cuba.
Fundó un grupo de teatro universitario itinerante, La Barraca, que hacía representaciones por los pueblos de España. Es autor de obras de teatro tan famosas como *Bodas de sangre*, *La casa de Bernarda Alba* y *Yerma*.

T A R E A S

1. **¿Cómo son los tres ríos?**
2. **¿Cuáles son sus nombres?**
3. **¿De qué dos ciudades andaluzas habla el poema?**
4. **¿Cómo las describe a través de los ríos?**
5. **¿Qué elementos del poema puedes relacionar con cada ciudad?**

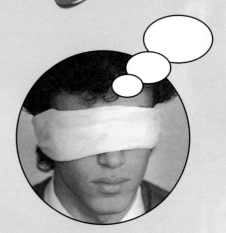

1. Forma un círculo con tus compañeros/as: vamos a jugar. Vas a escuchar un texto. En él, alguien se imagina que es una cosa, un ser real (un animal o un vegetal) o un ser fantástico. Escúchalo con tus compañeros/as y adivina qué es.

¿Quién habla?

El/la que primero lo adivine, tiene que comenzar a contar su propia historia o lo que ha imaginado.

¿Cómo fueron los primeros años de este ser?

¿Cómo nació?

¿Dónde vivía?

¿Qué le gustaba que hicieran los demás?

¿Qué le molestaba que le hicieran?

¿Qué hacía con los seres que le rodeaban?

Etc.

Los demás tienen que adivinar qué es y continuar con la rueda.

Al final del juego, cada participante tiene que hacer un dibujo del ser que le ha gustado más y escribir la historia debajo.

....

....

....

EN ESTA UNIDAD HAS APRENDIDO:

VOCABULARIO:

- Departamentos y puestos de una empresa: *Dirección de Producción*
- Adjetivos de sentimientos: *Sorprendente*

GRAMÁTICA: Recuerda que con expresiones de deseo o sentimiento utilizamos:

Verbo de deseo o sentimiento + sustantivos
+ infinitivos
+ que + subjuntivo.

Pon ejemplos: ....

Recuerda en estas frases cuándo utilizamos el presente de subjuntivo y cuándo el imperfecto.
- El presente de subjuntivo cuando hablamos de sentimientos referidos al…
- El imperfecto de subjuntivo cuando hablamos de sentimientos referidos al…

Recuerda el uso de los pronombres relativos.

El que… para referirse a…
La que… para referirse a…
Quien… para referirse a…
Los que… para referirse a…
Las que… para referirse a…
Quienes… para referirse a…
Lo que… para referirse a…

Recuerda la forma de la comparación:
Verbo + *tanto como* + verbo.

Pon ejemplos: ....

CÓMO SE DICE:

Recuerda expresiones para:

- Mostrar indiferencia: *Me da igual.*
- Mostrar escándalo: *No puede ser.*
- Mostrar aprobación: *Me parece muy bien.*
- Mostrar sorpresa: *Lo que me sorprendió fue.*
- Mostrar desilusión: *No me gustó tanto como esperaba.*
- Mostrar resignación: *¡Qué le vamos a hacer!*

En autonomía

 1. Aquí tienes unas herramientas. Relaciona la imagen con el nombre y escribe para qué sirve cada una.

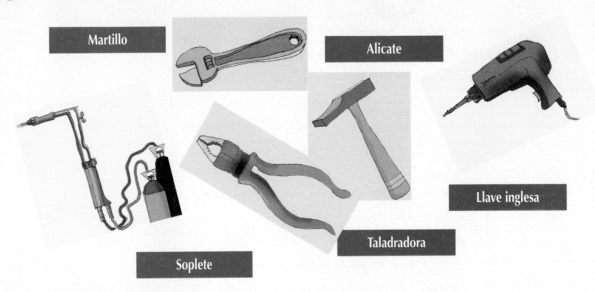

Martillo

Alicate

Llave inglesa

Taladradora

Soplete

 2. Observa esta historia y explica qué sentimientos tienen estas personas y cómo son sus dolores. Utiliza la estructura "como si...". ¿Cómo se ve el doctor a sí mismo antes y después de la consulta?

© Joaquín S. Lavado, QUINO, *Quinoterapia*, Ed. Lumen, 1985.

3. Escucha esta historia y completa el cuadro.

+	-
Le gustaba....	No le gustaba...

4. Haz una tabla con los recuerdos de tu infancia, con lo positivo y lo negativo.

+	-

5. Ahora, con tu información, escribe un texto parecido al que has escuchado.

....
....
....
....

6. En español, el imperfecto de subjuntivo tiene dos formas. Una termina en "-ra"; la otra, en "-se". Observa estos verbos y relaciona las formas en "-ra" con las correspondientes en "-se".

comierais   estuviéramos   dijeran   comiera
    pensara   estuvieran   dijera   pensaras
comiese   pensase   dijesen   estuviesen   estuviésemos
    dijese   comieseis   pensases

7. Construye el imperfecto de subjuntivo de estos verbos con las dos formas.

	TENER	HACER	PODER
	-ra/-se	-ra/-se	-ra/-se
(Yo)			
(Tú)	**tuvieras/-ses**		
(Usted, él/ella)			
(Nosotros/as)			
(Vosotros/as)			
(Ustedes, ellos/ellas)			

8. Cambia la forma de estos verbos.

Fuera, escribiese, hicieran, tuviese, esperase, soñara, pudiera, leyese, hiciéramos, hiciesen, pensarais, durmiésemos, volvieran, pusiesen.

 9. Relaciona y después escribe las frases.

a. Ayer conocí a una chica.
b. El otro día volví a comer en ese restaurante tan bueno.
c. He comprado un libro de Vargas Llosa.
d. El otro día discutí con mi compañero de trabajo.
e. Mira, esta es Susana.
f. Le han dado un Goya a esa película.
g. Me gusta mucho la empresa.
h. Antonio es el candidato.
i. En mis últimas vacaciones dormí en una habitación de ese hotel.
j. Han llamado de la empresa.

1. Desde esa habitación se ve el mar.
2. El martes pasado estuvimos discutiendo mucho sobre ella.
3. Le han propuesto ser el Director de Marketing.
4. Llevo tres años trabajando con mi compañero.
5. Te hablé de ella el otro día.
6. Tú me hablaste muy bien de ese libro.
7. Tú vives con una chica.
8. Tú y yo comimos una vez en un restaurante que nos gustó mucho.
9. Yo actualmente trabajo en esa empresa.
10. Yo hice un presupuesto para esa empresa.

 10. Piensa en tu barrio ideal, ¿cómo te gustaría que fuera? Aquí tienes un esquema, marca dónde te gustaría que estuviera cada uno de los establecimientos. Después explica por qué.

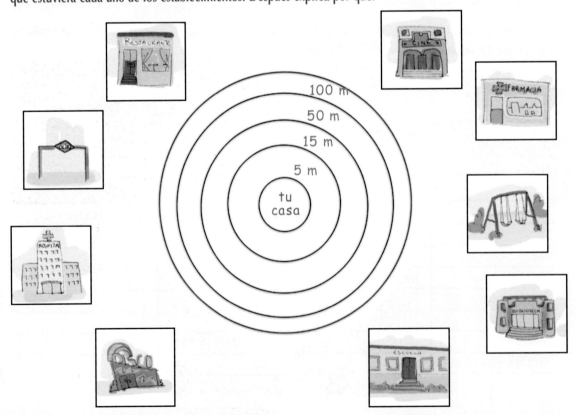

Me gustaría que al lado de mi casa hubiera una farmacia para poder comprar lo que necesitara y ....
....
....

11. Observa estas imágenes y escribe una frase como la del modelo.

1

> Me ha gustado tanto como me habías dicho.

¿Qué te ha parecido el libro
que te recomendó María?

2

3

¿Ha sido muy difícil
el examen?

¿Qué tal la comida?

4

5

¿Qué tal te lo
has pasado?

¿Qué tal la película?

6

¿Qué tal el tiempo?

Las circunstancias de Urano

El planeta Urano, con ocho satélites, se encuentra entre Saturno y Neptuno. Se lo relaciona con el deseo de individualidad, con la necesidad de cambios, con lo imprevisto y con las sorpresas. En la mitología griega y romana era la personificación del cielo.

Vas a aprender a...

Expresar
- La causa — Debido a... / Teniendo en cuenta que...
- La finalidad — A fin de que... / Con vistas a...
- El modo — De modo que...
- La concesión — Aunque...
- La consecuencia — Tanto... que / Así que...

Transmitir las palabras de otra persona en pasado
- Dijo que...

Opinar
- Expresar la opinión — Me figuro que... / O mucho me equivoco o...
- Interpretar lo que otra persona ha dicho — O sea que...
- Expresar acuerdo — Estoy totalmente de acuerdo en lo de que...
- Expresar desacuerdo — ¡Qué va!
- Pedir la opinión a otra persona — ¿Y tú qué opinas sobre lo de...?
- Valorar o juzgar ideas — A mí me parece fatal que...
- Aclarar lo que uno/a ha dicho — Lo que quiero decir es que...

1. Ortega y Gasset fue un filósofo español del siglo XX. Suya es la siguiente frase:

> *Yo soy yo y mis circunstancias.*

¿Sabes lo que significa "circunstancias"? ¿Cómo se dice en tu idioma?

¿Qué crees que ha querido decir este filósofo con esa frase?

- La personalidad se forma según las situaciones en las que se vive.
- Yo puedo crear mi propia circunstancia.
- Podemos ser víctimas de las circunstancias en las que nacemos.
- Las circunstancias que nos rodean son más importantes que nuestra herencia genética.
- Yo soy producto de lo que he vivido y de cómo he experimentado lo que he vivido.
- Las circunstancias son lo más importante en la vida de una persona.
- No tenemos influencia sobre las circunstancias en las que se desarrolla nuestra vida.

¿Se te ocurren más interpretaciones? Discútelo con tus compañeros/as.

2. Piensa en cómo se forma el carácter de una persona. ¿Qué factores influyen más?

- La herencia genética.
- El ambiente y la educación en la que uno/a se cría.
- La influencia de los planetas, los horóscopos.
- Las vidas anteriores.
- Las energías.
- El destino.
- La familia.

1

2

3. Piensa en tu vida y en tu personalidad. ¿En qué circunstancias has crecido y se desarrolla tu vida? ¿Las puedes cambiar? Discútelo con tus compañeros/as.

órbita 1
LENGUAJE COLOQUIAL

1. ¿En qué se parecen los/as hijos/as a los padres? ¿En qué te pareces tú a tus padres?

1

2

2. Escucha este diálogo y fíjate en estas preguntas:

1. ¿Cuántas personas hablan?
2. ¿De qué hablan?
3. ¿Cuántas opiniones diferentes hay?

3. Escucha otra vez el diálogo, toma notas de las opiniones y los argumentos, y completa el cuadro.

Los genes son determinantes	La educación es determinante	Otros factores son determinantes

4. Y tú, ¿qué opinas?

5. Observa el siguiente cuadro y rellena cada casilla con las expresiones que ya conoces.

Pedir la opinión.	
Dar la opinión.	
Expresar acuerdo.	
Expresar desacuerdo.	
Valorar y juzgar.	
Interpretar lo que otro/a ha dicho.	
Aclarar lo que uno/a ha dicho.	

6. **Aquí tienes otras expresiones. Colócalas en la casilla correspondiente.**

Estoy totalmente convencido/a de que...

En mi opinión...

Para mí...

Exacto.

Claro que sí.

Naturalmente.

¡Qué va!

¿A ti qué te parece?

A mí me parece lógico.

O sea que...

Entonces tú dices que...

Me figuro que...

O mucho me equivoco o...

Estoy segurísimo/a de que...

Y tú, ¿qué piensas?

¿Y tú qué opinas sobre lo de...?

Eso no es así.

De ninguna manera.

Sí, hombre/mujer.

(No) es normal que...

Lo que quieres decir es que...

Lo que yo quiero/quería decir es que...

7. **Lee las siguientes frases y elige una de ellas.**

Lo de los transgénicos está bien para lo del hambre.

Yo, lo de los horóscopos, ni hablar.

Eso de la clonación es un reto.

Yo soy yo y, de lo demás, paso.

Menos ciencia y más ética.

Yo creo que de la clonación no sabemos de la misa la mitad.

Yo creo que cada uno es de su padre y de su madre.

De tal palo, tal astilla.

Es que lo de la influencia de los planetas es muy fuerte.

Ejemplo: Lo de los transgénicos está bien para lo del hambre.

¿Qué crees que quiere decir? Escríbelo.

Yo creo que lo que quiere decir es que...

Lee la frase que has elegido en voz alta: el resto de la clase tiene que interpretarla. Compara tu interpretación con la de tus compañeros/as.

> ### Para ayudarte
>
> ¿Lo que tú quieres decir es que...?
> O sea, que...
> ¿Lo que estás diciendo es que...?
> Pero, ¿qué quieres decir? ¿Que...?
> ¡Qué va! Eso no es así.
> ¡Sí, mujer!/¡Sí, hombre!

8. Observa estos diálogos y responde a la pregunta.

¿Vas a salir esta tarde?

¡Ah!, ¿pero por ahí está lloviendo?

Sí, **aunque llueve**, voy a salir.

¡Uy!, a mares.

¿Vas a salir? ¡Está lloviendo!

Ya lo sé... **aunque llueva**, voy a salir.

¿En cuál de las frases marcadas la persona está informando de que llueve?

El verbo va en indicativo cuando la información que se presenta en una frase con "aunque" es nueva para el interlocutor, o cuando se la presentamos como información nueva.

El verbo va en subjuntivo cuando la información no es nueva (porque se trata de algo que las dos personas ya saben, o la persona que habla no sabe o de lo que no quiere informar).

9. **¿Cuáles de estas frases introducen información nueva y cuáles no? ¿Puedes recrear en qué situación se dicen?**

Ejemplo: Alicia: ¡Vamos, Alfredo! Aunque estés cansado, tenemos que ir a la fiesta.
(No informa: Alicia sabe que Alfredo está cansado, quizá porque Alfredo se lo ha dicho antes, quizá porque lo nota.)

1. Ramón: Esta semana, aunque haya dos días de fiesta, tengo que terminar este trabajo.
2. - Joaquín: Estás malo. No salgas.
   - Pedro: Aunque esté malo, voy a salir.
3. Pilar: El martes, aunque estábamos muy cansados, trabajamos hasta las diez.
4. Alejandro: Mañana, aunque estaré en casa, no pienso lavar ni un plato; estoy cansadísimo.
5. Javier: Aunque Jorge tiene muy mal carácter, es muy buena persona.

Nueva Información

10. A veces hay que distribuir a las personas que se sentarán juntas en una mesa. Con tu compañero/a imagina que estás organizando una boda. ¿A quién sientas al lado de quién?

Alberto:

- Es muy callado, prefiere escuchar a hablar.
- No le gustan los deportes, prefiere la literatura.
- No conoce a nadie y es bastante tímido.

María:

difficil

- Tiene un carácter arisco y es poco sociable.
- Cambia constantemente de tema.
- Le gusta mucho hablar de fútbol con hombres.
- Fuma mucho.

Cristina:

- Es muy nerviosa y habla mucho y a gritos.
- Tiene sentido del humor.
- Le gusta conocer a gente nueva.
- Es informática.

Nicolás:

- Le gusta mucho hablar de deportes.
- No le interesa la política.
- Le gusta llevar una vida sana.
- Es muy charlatán.

Adrián:

- Es poeta.
- Es bastante tímido y habla poco.
- Fuma.

Patricia:

Sabe demasiado
un sabelotodo

- Es una marisabidilla, se cree que lo sabe todo.
- Es una persona muy seria, no le gustan mucho las bromas.
- Viene a la boda por compromiso.   *esta obligada.*
- No está muy segura de cómo va a comportarse.

un Resabiado Know all (m.)

Ejemplo:
- *Yo creo que podemos sentar a Nicolás con María, porque a los dos les gusta el fútbol.*
- *Sí, pero María fuma y eso a Nicolás no le gusta.*
- *Bueno, pero aunque fume tienen muchos puntos en común.*

1. Aquí tienes el título de algunos artículos de un debate del periódico español *El País* sobre los alimentos transgénicos. ¿Qué crees que defiende cada uno de los artículos?

EL PAIS

DIARIO INDEPENDIENTE DE LA MAÑANA

"Los ecologistas extremistas impiden erradicar el hambre"
(Norman Borlaug, Premio Nobel de la Paz)

"La ingeniería genética incrementará el hambre"
(Xavier Pastor, Director Ejecutivo de Greenpeace España)

---

2. A continuación, te damos unos fragmentos de su contenido. Léelos y extrae los argumentos de cada uno.

"El reto del futuro es producir y distribuir equitativamente una dieta alimenticia adecuada para este planeta superpoblado. Creo que tenemos la tecnología agrícola para alimentar a estos 8.300 millones de habitantes del 2025. Los ecologistas extremistas de las naciones ricas parecen hacer todo lo que pueden para detener el proceso científico. Pocos, pero vociferantes y altamente efectivos, predicen el caos y crean temores, frenando la aplicación de la nueva tecnología, ya sea la transgénica, la biotecnología o métodos más convencionales de ciencia agrícola".

"Los países que más apuestan por el desarrollo de esta destructiva forma de agricultura son naciones como Estados Unidos o Canadá, actuando en defensa de los intereses de sus poderosas multinacionales agroquímicas. No se puede calificar más que de ignorancia interesada que a estas alturas alguien todavía crea (...) que el problema del hambre es tecnológico. Se sabe perfectamente que en el mundo hay alimentos suficientes para alimentar a todos sus habitantes varias veces. Precisamente en los últimos 50 años las diferencias entre países ricos y pobres se han disparado, (...) las zonas cultivables están disminuyendo por la erosión y agotamiento producidos por la agricultura intensiva; la mayoría de los suelos, acuíferos y organismos vivos del planeta están contaminados por el abusivo uso de sustancias tóxicas; los daños de las plagas casi se han duplicado y centenares de insectos y malas hierbas se han hecho resistentes a la mayoría de los plaguicidas utilizados en agricultura."

---

3. La clase se divide en dos grupos de opinión contraria: cada grupo hace una lista de argumentos, un grupo a favor y otro en contra de la agricultura transgénica. A continuación, se lleva a cabo un debate en el que cada grupo expresa su opinión.

órbita 2
LENGUAJE PROFESIONAL

1. Busca con tus compañeros/as qué significan estos términos.

sistema operativo	navegador	cuota de mercado
prácticas monopolistas	la Red _Net_	la competencia _Competition_
monitor	extorsionar	prácticas anticompetitivas

Editorial Office

2. Escucha este diálogo que tiene lugar en la **Redacción** de un periódico.
El juicio contra Microsoft <u>ha girado</u> en torno a seis grandes asuntos:

Share

- Intento de reparto ilegal del mercado.
- Pantalla de inicio.
- Prácticas anticompetitivas.

- Contratos exclusivos.
- Lenguaje de programación Java.
- Incorporación del navegador de Internet en el sistema operativo.

¿Cuáles de ellos trata el diálogo?

¿Qué dijeron las partes interesadas respecto a los puntos del diálogo?

TEMA	MICROSOFT	ACUSACIÓN
	dijo que.../respondió que...	dijo que.../respondió que...

3. Clasifica estas expresiones en el cuadro siguiente.

Debido a	Donde quieras	Teniendo en cuenta que
De modo que	De ahí que	Lo que pasa es que
Con el objeto de que	Teniendo en cuenta que	A fin de que
Cuando quieras	A fuerza de	Puesto que
Con vistas a	Sucede que	De tanto...
O sea que _or is it_	Como quieras	Gracias a
Ocurre que	Por culpa de	En vista de
"Por" + adjetivo		

CAUSA	FINALIDAD	MODO _manera_	CONSECUENCIA

4. En la página 152 tienes la transcripción del texto que acabas de oír. Busca en el texto las frases en las que se expresa causa, finalidad, modo o consecuencia.

5. Lee estas frases. En ellas hay diferentes expresiones de causa. Luego observa el cuadro y relaciónalas con su significado. Compara tus resultados con los del resto de la clase.

- Mañana no vengo a trabajar **porque** tengo una entrevista.
- La votación no pudo realizarse **debido a** la falta de quórum.
- Perdona, todavía no te he traído el informe. **Es que** no he tenido tiempo.
- Llegó tarde a todas las entrevistas y no le dieron el puesto **por** informal.
- ¿Que no ha venido? Pues, **como** no ha venido el delegado, no podemos reunirnos.
- **Gracias a** su buena disposición, consiguió el puesto que quería.
- No pudimos llegar a ninguna conclusión **por culpa de** María, que estaba discutiendo todo.
- No es que no tenga ganas, **lo que pasa es que** estoy cansadísimo.
- **De tanto** hablar se quedó ronca.

Relaciona

previa → anterior

Porque	- Presentar la causa de algo con connotaciones negativas.
Debido a	- Presentar la causa como una situación previa.
Es que	- Presentar la causa de algo bien aceptado.
"Por" + adjetivo/sustantivo/infinitivo	- Presentar la causa de algo mal aceptado.
Como	- Presentar la causa de un problema.
Gracias a	- Presentar la causa de algo como resultado de una acción repetida.
Por culpa de	- Explicar explícitamente la causa de algo de manera general.
Lo que pasa es que	- Explicar explícitamente la causa de algo en un registro más culto.
De tanto	- Presentar una explicación como un pretexto, excusa o justificación.

6. Lee este texto. En él están estas tres expresiones de consecuencia: "de ahí que", "o sea" y "de modo que". Identifica para qué sirve cada una.

- ☐ Presentar la consecuencia para resumir o aclarar lo que has dicho antes.
- ☐ Presentar la consecuencia para referirte al origen de algo.
- ☐ Presentar la consecuencia como una conclusión final de un razonamiento.

> "Microsoft empezó a distribuir su navegador de Internet con el software Windows, mientras que otras empresas cobraban por un producto similar. Para el juez ese es claramente el núcleo de la definición de prácticas monopolistas. O sea, que Microsoft se aprovechó de un monopolio para crear otro. De ahí que decidiera procesarle. Además le han acusado de intentar extorsionar al fundador de Netscape, de prácticas anticompetitivas... De modo que está en un buen lío".

GRAMÁTICA ACTIVA

 Observa

Tema	Microsoft dijo...	La acusación dijo...
Sobre la incorporación del navegador de Internet en el sistema operativo Windows	Bill Gates dijo que integrar el navegador en el sistema operativo era algo natural.	El juez dijo que ese era el núcleo de la definición de prácticas monopolistas.
Sobre prácticas anticompetitivas	Bill Gates respondió que habían sido los consumidores los que habían solicitado la incorporación del Explorer.	El juez dijo que Microsoft había usado prácticas anticompetitivas y que había empleado su dominio en el mercado para imponer el Explorer.
Sobre el intento de reparto ilegal del mercado	Bill Gates dijo que Netscape no comercializara una versión de su navegador para Windows, y que él no fabricaría su navegador para otros sistemas operativos.	Netscape dijo que el encuentro con Bill Gates había sido como un encuentro con don Corleone y que no aceptaría las prácticas mafiosas de Microsoft.

7. Escribe el diálogo tal y como se produjo.

Sobre la incorporación del navegador de Internet en el sistema operativo Windows, el juez dijo:
"..
...."
Y Bill Gates respondió: "..
...."
Sobre prácticas anticompetitivas, el juez dijo: "..
...."
Y Bill Gates respondió: "..
...."
Sobre el intento de reparto ilegal del mercado, Bill Gates dijo: "...
...."
Y Netscape dijo: "..
...."

8. Lee y completa.

En el estilo indirecto pasado, cuando nos referimos a las palabras que otros dijeron, utilizamos el .... para referirnos a lo que dijeron sobre ese momento, el .... para referirnos a acciones anteriores, y el .... para acciones futuras respecto a ese momento. Utilizamos el .... de subjuntivo cuando nos referimos a los consejos, sugerencias, peticiones u órdenes que se transmitieron en ese momento.

9. Lee este diálogo. Se trata de una reunión de seguimiento de un proyecto. Reprodúcelo en un texto en pasado.

Director Técnico del proyecto:
Bueno, ¿qué tal vamos?

Coordinadora del Equipo de Producción:
Vamos a ver. Tenemos listas las tres primeras fases: están producidas y redactadas para su implementación. Hemos terminado el diseño de la fase siguiente, que creo que tendremos terminada a final de mes. Depende un poco de las correcciones que tengamos que hacer.

Coordinadora del Equipo de Implementación:
Nosotros no vamos tan bien. Hemos tenido problemas técnicos para cumplir nuestros plazos. Tendremos listas las dos primeras fases en breve. Pero, con la tercera, tardaremos más.

Director Técnico del proyecto:
No está mal, pero tenemos que ir más deprisa. Nos están presionando desde arriba, así que intentad trabajar más rápido, resolved cuanto antes vuestros problemas y no olvidéis que hay muchas personas pendientes de lo que estamos haciendo. La próxima semana tengo una reunión con la Dirección General y quiero presentarle resultados claros.

Coordinadora del Equipo de Implementación:
Sí, pero para eso necesitamos más presupuesto y contratar a más personal.

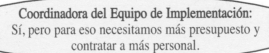

Director Técnico del proyecto:
Por eso no te preocupes, lo tendrás.

práctica global 2

¿Sabías que sentarse a trabajar con el ordenador entraña riesgos? Los mayores problemas de salud atribuibles al trabajo se dan en un entorno de oficina. Tres de cada cuatro trabajadores/as sufren molestias de algún tipo y alrededor de un 15% acude al médico por dolencias de espalda, alteraciones visuales y estrés o cansancio. Aquí tenemos esta imagen. Vamos a formar dos grupos: uno se encarga de las posturas corporales y otro de otros factores ambientales.

1. Cada uno de los grupos observa la imagen, lee los textos y decide qué elementos son importantes para crear un entorno de oficina ideal.

2. Después cada grupo escribe un texto que describa ese despacho y explique las causas que motivan la elección de un determinado mobiliario o elemento, qué consecuencias tendrá y cuál es la finalidad de todo ello.

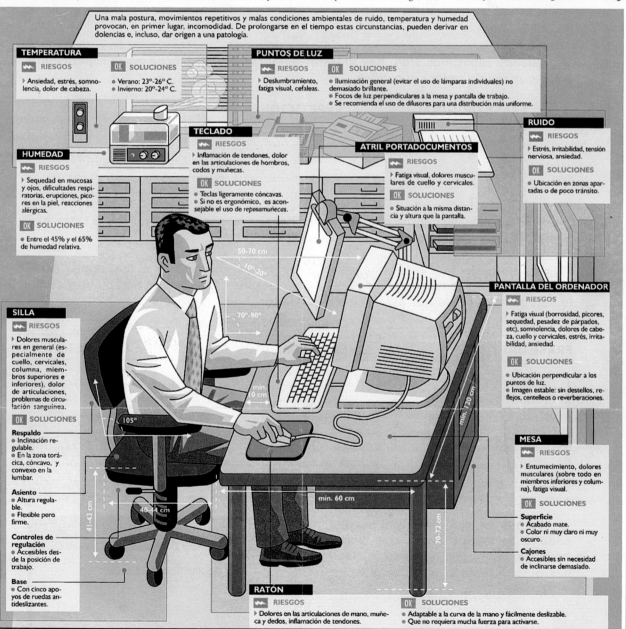

EL PUESTO IDEAL.
¿Sabía usted que sentarse a trabajar con el ordenador entraña sus riesgos? Los mayores problemas de salud atribuibles al trabajo se dan en un entorno de oficina. Tres de cada cuatro trabajadores sufren molestias de algún tipo y alrededor del 15% acude al médico por dolencias, sobre todo de espalda, alteraciones visuales y estrés o cansancio. Más de cuatro millones de personas están expuestas a estos riesgos. **Por B. García y R. Infante. Infografía de A. Ortega**

Una mala postura, movimientos repetitivos y malas condiciones ambientales de ruido, temperatura y humedad provocan, en primer lugar, incomodidad. De prolongarse en el tiempo estas circunstancias, pueden derivar en dolencias e, incluso, dar origen a una patología.

TEMPERATURA

RIESGOS
▸ Ansiedad, estrés, somnolencia, dolor de cabeza.

OK SOLUCIONES
● Verano: 23°-26° C.
● Invierno: 20°-24° C.

HUMEDAD

RIESGOS
▸ Sequedad en mucosas y ojos, dificultades respiratorias, erupciones, picores en la piel, reacciones alérgicas.

OK SOLUCIONES
● Entre el 45% y el 65% de humedad relativa.

PUNTOS DE LUZ

RIESGOS
▸ Deslumbramiento, fatiga visual, cefaleas.

OK SOLUCIONES
● Iluminación general (evitar el uso de lámparas individuales) no demasiado brillante.
● Focos de luz perpendiculares a la mesa y pantalla de trabajo.
● Se recomienda el uso de difusores para una distribución más uniforme.

TECLADO

RIESGOS
▸ Inflamación de tendones, dolor en las articulaciones de hombros, codos y muñecas.

OK SOLUCIONES
● Teclas ligeramente cóncavas.
● Si no es ergonómico, es aconsejable el uso de reposamuñecas.

ATRIL PORTADOCUMENTOS

RIESGOS
▸ Fatiga visual, dolores musculares de cuello y cervicales.

OK SOLUCIONES
● Situación a la misma distancia y altura que la pantalla.

RUIDO

RIESGOS
▸ Estrés, irritabilidad, tensión nerviosa, ansiedad.

OK SOLUCIONES
● Ubicación en zonas apartadas o de poco tránsito.

PANTALLA DEL ORDENADOR

RIESGOS
▸ Fatiga visual (borrosidad, picores, sequedad, pesadez de párpados, etc), somnolencia, dolores de cabeza, cuello y cervicales, estrés, irritabilidad, ansiedad.

OK SOLUCIONES
● Ubicación perpendicular a los puntos de luz.
● Imagen estable: sin destellos, reflejos, centelleos o reverberaciones.

SILLA

RIESGOS
▸ Dolores musculares en general (especialmente de cuello, cervicales, columna, miembros superiores e inferiores), dolor de articulaciones, problemas de circulación sanguínea.

OK SOLUCIONES

Respaldo
● Inclinación regulable.
● En la zona torácica, cóncavo, y convexo en la lumbar.

Asiento
● Altura regulable.
● Flexible pero firme.

Controles de regulación
● Accesibles desde la posición de trabajo.

Base
● Con cinco apoyos de ruedas antideslizantes.

MESA

RIESGOS
▸ Entumecimiento, dolores musculares (sobre todo en miembros inferiores y columna), fatiga visual.

OK SOLUCIONES

Superficie
● Acabado mate.
● Color ni muy claro ni muy oscuro.

Cajones
● Accesibles sin necesidad de inclinarse demasiado.

RATÓN

RIESGOS
▸ Dolores en las articulaciones de mano, muñeca y dedos, inflamación de tendones.

OK SOLUCIONES
● Adaptable a la curva de la mano y fácilmente deslizable.
● Que no requiera mucha fuerza para activarse.

50-70 cm
10°-20°
70°-90°
min 10 cm
105°
41-43 cm
40-44 cm
min. 60 cm
70-72 cm
min. 120 cm

1

1. A veces tenemos que repetir las cosas porque hay mucho ruido y la otra persona no nos ha oído. Aquí tienes repeticiones de frases: ¿puedes escribir las frases originales?

1. - ....
   - ¿Qué?
   - Que cómo está Ana.

2. - ....
   - ¿Perdona?
   - Que cuándo terminas.

3. - ....
   - ¿Qué dices?
   - Que dónde has puesto las llaves.

4. - ....
   - Perdona, no te he oído.
   - Que por qué hablas tan bajo.

5. - ....
   - ¿Cómo?
   - Que si tienes hora.

2. Cuando repetimos algo, hay algunas palabras que aparecen en la repetición y otras que no. Completa el cuadro.

FRASE ORIGINAL	REPETICIÓN
¿Cómo...?	Que...
¿Cuándo...?	Que...
¿Dónde...?	Que...
¿Por qué...?	Que...
¿...?	Que...

3. Prepara seis preguntas que le quieres hacer a tu compañero/a. En la clase hay mucho ruido y, como no se oye, hay que repetir.

4. Sin embargo, hay veces que, cuando repetimos, cambiamos la manera de decir las cosas. Escucha estos diálogos uno a uno. ¿Repiten todo lo que han dicho y como lo han dicho al principio? Escríbelo en el cuadro.

FRASE ORIGINAL	PRIMERA REPETICIÓN	SEGUNDA REPETICIÓN
1.	....	....
2.	....	....
3.	....	....
4.	....	....
5.	....	....
6.	....	....
7.	....	....

5. Piensa en tres cosas que puedes pedir a tu compañero/a que haga. Después, pídeselas. Como en la clase hay mucho ruido y no se oye, repite la petición.

Para ayudarte

Cuando repetimos una orden:
Ven un momento.
¿Qué?
(He dicho) que vengas.

2

1. Cuando contamos lo que otros/as han dicho, lo podemos hacer de distintas maneras. Mira estos textos: en ellos se reproduce la misma situación. Después contesta a las preguntas.

> María: Pues el otro día Irene se enfadó muchísimo con Javier y le llamó por teléfono y le dijo que no estaba de acuerdo con su actitud y que, a partir de ese momento, no le iba a consentir que volviera a portarse así con ella. Javier le contestó que era una neurótica y que no había sido para tanto.

> Irene: El otro día estaba tan enfadada con Javier que le llamé por teléfono y le dije que ya estaba bien, que ya estaba harta de su actitud y que a partir de ahora no le iba a consentir que volviera a portarse así conmigo. Y va y me dice que si soy una neurótica y que si no es para tanto.

> Javier: Pues el otro día me llama Irene y me monta una... "que estoy harta, que no voy a consentirte más", que no sé qué... Total, que me enfadé tanto que le grité: "Neurótica, que eres una neurótica". Y además le dije que no era para tanto.

2. ¿Qué diferencia hay entre las tres formas de contarlo?

- Se usan sólo los tiempos del pasado o aparece también el presente.
- Se cuenta en estilo directo o indirecto.
- Se repite textualmente la conversación.
- Hay cambio de personas ("yo", "tú..."): la persona que habla adopta el rol de alguna de las personas de la historia.

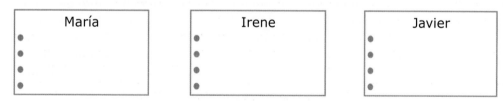

María	Irene	Javier
•	•	•
•	•	•
•	•	•
•	•	•

¿Quién se implica más en la historia?
¿Quién está viviendo la discusión como si tuviera lugar ahora?
¿Quién lo cuenta de una manera más formal?

3. Invéntate una conversación con alguien y cuéntasela a tus compañeros/as. Utiliza las tres formas.

1. Lee este texto publicitario.

¡ESTUDIA ESPAÑOL Y TRABAJA EN LAS MEJORES EMPRESAS DE ESPAÑA!

El objetivo de este programa es mejorar los conocimientos de español a través de prácticas en una empresa de Madrid. Los estudiantes estarán asignados a compañías según sus habilidades, intereses, campo de estudio y/o experiencia laboral. Esta es una oportunidad única para mejorar tus habilidades lingüísticas y a la vez conseguir experiencia profesional en el mundo laboral internacional.

2. ¿Has pensado alguna vez en hacer unas prácticas para mejorar tu español y, al mismo tiempo, ampliar tus conocimientos profesionales? Escribe qué condiciones y aspectos te parece importante tener en cuenta.

Prácticas

3. Discute con tus compañeros/as las ideas y haz con ellos/as un decálogo de requisitos: duración, tipo de práctica, área de trabajo, jornada, etc.

1. ....
2. ....
3. ....
4. ....
5. ....
6. ....
7. ....
8. ....
9. ....
10. ....

4. Ahora vamos a informarnos de qué posibilidades tenemos. Formamos parejas y cada una tiene que buscar en la Red dos escuelas o dos agentes que ofrezcan prácticas en empresas. Tiene que informarse de las condiciones, horarios de trabajo, tipo de puestos, responsabilidades, duración, etc.

FINAL

Ejemplos:

www.ec.aiesec.org.   www.travel-work.com   www.trabajo.com
www.prácticas.com   www.redfue.es

Cada pareja completa el formulario

1. **Duración mínima y máxima de las prácticas.**
2. **Requisitos.**
   - Nivel lingüístico.
         Básico.
         Intermedio.
         Avanzado.
         Superior.
   - Nivel académico.
         Estudios generales.
         Graduado escolar.
         Diplomado/a.
         Licenciado/a.
         Técnico/a Superior.
3. **Tipo de empresa.**
         Marketing.
         Turismo.
         Hostelería.
         Técnica.
         Sanitaria.
4. **Pasos que hay que seguir.**
5. **Observaciones.**
6. **Horarios de las prácticas y número de horas.**

5. En clase, todos/as juntos/as vamos a elegir las mejores ofertas. Primero cada pareja tiene que contar la información que ha obtenido.

Para ayudarte

En la que yo he encontrado ponía que...
En la escuela que yo he visto decían que...
Estaba escrito que...

6. Por último elegimos cuáles nos parecen las mejores, más serias, más convenientes, etc. Expresa tu opinión.

órbita 3
RUTA LITERARIA
taller de letras

1. Lee con atención este texto.

EL PARTIDO REPUBLICANO PROGRESISTA ACUSA AL GOBERNADOR Y AL PARTIDO AUTONOMISTA DE BAHÍA DE CONSPIRAR CONTRA LA REPÚBLICA PARA RESTAURAR EL ORDEN IMPERIAL OBSOLETO.

La derrota de la Expedición militar comandada por el Mayor Febronio de Brito y compuesta por efectivos de los batallones de infantería 9, 26 y 33 y los indicios crecientes de complicidad de la corona inglesa y de terratenientes bahianos de conocida afiliación autonomista y nostalgias monárquicas con los fanáticos de Canudos, provocaron en la noche del lunes una nueva tormenta en la Asamblea Legislativa del Estado de Bahía.

[...] El Excmo. Sr. Don Florián Mártir dijo que el Presidente de la Asamblea prefería bañar en incienso a su pariente y jefe de partido, Barón de Cañabrava, en lugar de hablar de la sangre de los soldados derramada en Uauá y en el Cambaio por Sebastianistas degenerados, o de las armas inglesas en los sertones o del agente inglés Gall, cuyo cadáver encontró la Guardia Rural en Ipupará. Y se preguntó: "¿Se debe este escamoteo, tal vez, a que dichos temas hacen sentir incómodo al Excmo. Sr. Presidente de la Asamblea?". El diputado del Partido Autonomista, Excmo. Sr. Don Eduardo Glicério, dijo que los Republicanos, en sus ansias de poder inventan guiñolescas conspiraciones de espías carbonizados y cabelleras albinas que son el hazmerreír de la gente sensata de Bahía. Y preguntó: "¿Acaso el Barón de Cañabrava no es el primer perjudicado con la rebelión de los fanáticos desalmados? ¿Acaso no ocupan éstos ilegalmente tierras de su propiedad?". A lo cual el Excmo. Sr. Diputado Don Dantas Horcadas lo interrumpió para decir: "¿Y si estas tierras no fueran usurpadas sino prestadas?". El Excmo. Sr. Diputado Eduardo Glicério replicó preguntando al Excmo. Sr. Diputado Don Dantas Horcadas si en el colegio Salesiano no le habían enseñado que no se interrumpe a un caballero mientras habla. El Excmo. Sr. Diputado Don Dantas Horcadas repuso que él no sabía que estuviera hablando ningún caballero. El Excmo. Sr. Diputado Don Eduardo Glicério exclamó que ese insulto tendría su respuesta en el campo del honor, a menos que se le presentaran excusas ipso facto. El Presidente de la Asamblea, Excmo. Sr. Caballero Adalberto de Guncio, exhortó al Excmo. Sr. Diputado Don Dantas Horcadas a presentar excusas a su colega, en aras de la armonía y majestad de la institución. El Excmo. Sr. Diputado Don Dantas Horcadas dijo que él se había limitado a decir que no estaba informado de que, en un sentido estricto, hubiera todavía en Brasil caballeros, ni barones, ni vizcondes, porque, desde el glorioso gobierno republicano del mariscal Floriano Peixoto, [...] todos los títulos nobiliarios habían pasado a ser papeles inservibles. Pero que no estaba en su ánimo ofender a nadie, y menos al Excmo. Sr. Diputado Don Eduardo Glicério. Con lo cual éste se dio por satisfecho.

2. Marca de qué temas hablan.

☐ De la alianza de terratenientes de Bahía con los rebeldes de Canudos.
☐ De la nueva estrategia militar del ejército.
☐ De las implicaciones del barón de Cañabrava en la supuesta conspiración de Canudos.
☐ De la situación de la República de Brasil.
☐ De la desaparición de títulos nobiliarios en Brasil.
☐ De las relaciones diplomáticas entre Inglaterra y Brasil.

3. ¿Cuántas personas intervienen en la discusión y quiénes son?

4. Reproduce las palabras de los diputados como si las estuviesen pronunciando ellos.

El Excmo. Sr. Don Florián Mártir dijo: "El Presidente de la Asamblea prefiere bañar en incienso a su pariente y jefe de partido, Barón de Cañabrava, en lugar de hablar de la sangre de los soldados derramada en Uauá y en el Cambaio por Sebastianistas degenerados, o de las armas inglesas en los sertones o del agente inglés Gall, cuyo cadáver encontró la Guardia Rural en Ipupará". Y se preguntó: ....

5. El texto que acabas de leer es un fragmento de la novela de Vargas Llosa *La Guerra del Fin del Mundo*. En este fragmento se parte de un artículo periodístico en el que se cuenta el debate que hubo en el parlamento de Brasil para analizar el desastre militar contra unos rebeldes.

Imagina con tu compañero o compañera un debate político, define los temas de discusión y dos posturas diferentes. Luego escribe el artículo periodístico que narra dicho debate.

....
....
....

Mario Vargas Llosa

Mario Vargas Llosa es un escritor peruano nacido en 1936 en Arequipa, al que lanzó a la fama la novela de rasgos autobiográficos *La ciudad y los perros*, publicada en 1962.
Se encuadra entre los más importantes autores de la narrativa hispanoamericana del siglo XX.
Su participación en la vida política de su país también ha contribuido a consolidar y extender su obra en el mundo entero. Obtuvo el Premio Cervantes en 1994 y actualmente está nacionalizado español. Entre sus novelas más conocidas, de las que algunas han sido llevadas al cine, además de *La guerra del fin del mundo* (1981), destacan: *Conversación en la Catedral* (1969), *Pantaleón y las visitadoras* (1973), *Historia de Mayta* (1984), *Lituma en los Andes* (1997) y *La fiesta del chivo* (2000).

RUTA LITERARIA
paisaje: lago

1. ¿Conoces algún lago?
¿Qué asocias a este paisaje?
¿Qué te sugiere la contemplación de un lago?

2. El lago Titicaca es el espejo de agua más elevado y extenso de América del Sur. Está situado aproximadamente a 3.800 metros sobre el nivel del mar, tiene una extensión de 8.288 kilómetros cuadrados y posee casi medio centenar de islas. ¿Sabes dónde se encuentra y qué países lo comparten? Mira el mapa de la pág. 6.

El lago es un cuerpo de agua en medio de la tierra, un espejo quieto del cielo, fruto de deshielos glaciales, o cráter de antiguos volcanes, quizás en tiempos remotos parte de un mar. El lago es fuente de culturas, hogar de islas, cuna de leyendas. Rompe el paisaje y lo dota de un fuerte magnetismo. Al verlo, encontramos un reflejo del cielo, y sentimos el misterio de sus aguas tranquilas y profundas, pero también la inquietud de lo desconocido que puede emerger de ellas. El lago Titicaca, cuna de civilizaciones, le habla al altiplano en español.

3. El lago Titicaca se encuentra en un paisaje de altura plana y grandes praderas donde reina la cultura del frío y de la papa. En su ribera surgieron antiguas civilizaciones preincaicas. Y al Titicaca se le atribuye también el origen del Imperio Inca y de su capital, Cuzco. Aquí tienes la leyenda inca que lo cuenta.

El Sol, viendo el estado penoso de los hombres, creó una pareja: Manco Cápac, el varón, y Mama Ocllo, su esposa y hermana; les dio un cetro de oro y les ordenó ir por el mundo para civilizar a los pobladores. Les encargó fundar un reino, e implantar en él el culto al Sol.

Manco Cápac y Mama Ocllo salieron de las espumas del lago sagrado Titicaca, y avanzaron hacia el norte. El cetro de oro les serviría para encontrar el lugar ideal para la fundación del Imperio, pues en él se hundiría el bastón hasta desaparecer.

Decidieron separarse, marchando Manco Cápac al norte y Mama Ocllo al sur del valle, para convocar a la gente y someterla. Los habitantes del valle no tardaron en reconocerlos como seres sobrenaturales. Después de un largo recorrido, el cetro se hundió en el cerro Huanacauri. Manco Cápac y Mama Ocllo se establecieron allí.

Manco Cápac mandó a los que estaban con él instalarse en la parte alta del valle, que se llamó Hanan Cuzco; y Mama Ocllo colocó a los suyos en la parte baja, o Hurin Cuzco. Ambos ayudaron a mejorar el lugar; enseñaron a los hombres que allí vivían a trabajar la tierra, a construir canales. A las mujeres Mama Ocllo les enseñó a coser, cocinar y hacer telares.

(Esta leyenda ha llegado hasta nuestros días gracias al cronista mestizo Inca Garcilaso de la Vega.)

Inca Garcilaso de la Vega

Historiador y cronista peruano, hijo del conquistador español Sebastián Garcilaso García de la Vega y de Palla Chimpu Ocllo, una princesa inca (1539-1616). Fue bautizado como Gómez Suárez de Figueroa, pero adoptó el nombre de Inca Garcilaso de la Vega. Pasó sus primeros años en Cuzco, su villa natal. Posteriormente se trasladó a España.

Su obra maestra es *Comentarios reales* o *Historia General del Perú,* en la que traza la historia del Imperio de los Incas.

T A R E A S

1. ¿Por qué crees que se atribuye el nacimiento del Imperio Inca a un lago? ¿Qué significado tienen para ti la pareja de Manco Cápac y Mama Ocllo?

2. ¿Puedes dar una interpretación a los elementos mágicos de la leyenda?

La figura masculina
La figura femenina
Las espumas del lago Titicaca
El cetro
El Sol

3. En los alrededores del lago Titicaca se concentra la cultura aymara, cuya lengua es hablada actualmente por un millón y medio de personas de Chile, Bolivia y Perú. Titicaca es una palabra aymara que significa "puma gris". ¿Por qué crees que llamaron al lago de esta manera? ¿Podrías escribir una pequeña historia acerca del origen de este nombre?

1. Con tu compañero/a mira estas ilustraciones, imagina la historia y ordénalas.

nerd - empollón

2. ¿Cómo acabó la historia? Dibuja la última viñeta, que está en blanco.

3. Imagina qué le dice el chico a su amigo, qué le dice a la chica y qué dice la nota.

4. Ahora vamos a escribir la historia, qué pasó, qué le dijo, cómo acabó todo. Después leemos todas las historias y daremos un premio a la más divertida, original o fantástica.

5. ¿Por qué no te inventas tú una historia, la dibujas o representas como quieras y nos la cuentas? Tiene que ser una historia en pasado en la que se cuenta también lo que se dijeron los personajes.

EN ESTA UNIDAD HAS APRENDIDO:

VOCABULARIO:

- Ordenadores e informática: *Sistema operativo.*
- Mobiliario de oficina: *Despacho.*
- Los verbos de opinión: *Imagino.*

GRAMÁTICA:

Recuerda cuándo se utiliza el indicativo con "aunque".

....

Recuerda cuándo se utiliza el subjuntivo con "aunque".

....

En el estilo indirecto utilizamos estos tiempos para:

- Dijo que + imperfecto: ....
- Dijo que + pluscuamperfecto: ....
- Dijo que + condicional: ....
- Dijo que + imperfecto de subjuntivo: ....

CÓMO SE DICE:

Recuerda expresiones para:

- Pedir la opinión: *¿Y tú qué opinas sobre lo de...?*
- Dar la opinión: *Me figuro que...*
- Expresar acuerdo o desacuerdo: *Eso no es así, ¡qué va!...*
- Valorar o juzgar algo: *A mí me parece lógico que...*
- Interpretar las palabras de otro/a: *O sea que...*
- Aclarar lo que uno/a ha dicho: *Lo que quiero decir es que...*
- Expresar la causa: *Debido a que...*
- Expresar la finalidad: *A fin de que...*
- Expresar la consecuencia: *Puesto que...*
- Expresar el modo: *De modo que...*

1. Aquí tienes unos verbos que son especiales en la forma del indefinido. Clasifícalos de acuerdo a la irregularidad que presenten.

morir   deshacer   contener   traducir   reducir   predecir   vestir

caer   construir   despedir   disponer   andar   aducir

proponer

Verbos como **tener**	Verbos como **conducir**	Verbos como **hacer**	Verbos como **poner**	Verbos como **pedir**	Verbos como **dormir**	Verbos como **leer, huir**

 2. Construye la forma completa del indefinido de estos verbos.

	Tener	Conducir	Hacer	Poner	Pedir	Dormir	Leer
(Yo)							
(Tú)							
(Usted, él/ella)	**tuvo**						**leyó**
(Nosotros/as)							
(Vosotros/as)							
(Ustedes, ellos/ellas)			**hicieron**				

 3. Elige otro verbo para cada uno de los grupos anteriores y forma el indefinido.

4. Ya sabes que para formar el imperfecto de subjuntivo tienes que fijarte en la forma "ustedes, ellos, ellas" del indefinido. Forma los imperfectos de subjuntivo de estos verbos.

	Tener	Conducir	Hacer	Poner	Pedir	Dormir	Leer
(Yo)							
(Tú)							
(Usted, él/ella)	**tuviera**						**leyera**
(Nosotros/as)							
(Vosotros/as)							
(Ustedes, ellos/ellas)			**hicieran**				

5. Por último, como ya sabes, el imperfecto de subjuntivo tiene dos formas, una terminada en "-ra" y otra en "-se". Se utilizan para lo mismo. Forma los imperfectos de subjuntivo de estos verbos en la forma en "-se".

	Tener	Conducir	Hacer	Poner	Pedir	Dormir	Leer
(Yo)							
(Tú)							
(Usted, él/ella)	tuviese						leyese
(Nosotros/as)							
(Vosotros/as)							
(Ustedes, ellos/ellas)			hiciesen				

6. Aquí tienes una pantalla de ordenador. Relaciona los iconos con las palabras.

a.   b.   c.   d.   e.   f.   g.   h.   i.   j.   k.

Archivo Edición Ver Insertar Formato Herramientas Tabla Ventana Ayuda

Normal   Times   12

Documento1

1. IMPRIMIR
2. DOCUMENTO NUEVO
3. GUARDAR
4. VISTA PRELIMINAR
5. ORTOGRAFÍA Y GRAMÁTICA
6. CORTAR
7. PEGAR
8. COPIAR
9. CURSIVA
10. NEGRITA
11. SUBRAYAR

7. Lee estos titulares.

UN INFORME DE LA ONU REVELA QUE EUROPA NECESITARÁ GRAN NÚMERO DE INMIGRANTES PARA REJUVENECER SU POBLACIÓN ACTIVA

BROTE XENÓFOBO EN CINCO PUEBLOS DE LA COSTA

DEBATE SOBRE LA REFORMA DE LA LEY DE EXTRANJERÍA: ¿MÁS ABIERTA O MÁS RESTRICTIVA?

¿Cuál es el tema que tratan?

 8. Escucha este diálogo sobre el tema de la inmigración. Después, rellena los huecos del texto.

- Yo, la verdad, no entiendo por qué hay tanto lío con lo de la inmigración. ¿No están siempre diciendo que la población europea está envejeciendo y que hay poquísimo crecimiento demográfico? Si Europa necesita mano de obra, ... una solución sería permitir que los extranjeros vinieran a trabajar.
- Un momento, que no te termino de entender. ¿.. habría que permitir la entrada de millones de personas? ¿No crees que eso no es tan fácil?
- Bueno, no exactamente. .... no sé por qué hay tantas restricciones si la realidad es que la inmigración es un hecho positivo. ...., que sería una cosa buena para la economía, para enriquecer nuestra cultura...
- Ya, ..., pero habría que poner una serie de limitaciones para evitar problemas. Una entrada masiva de inmigrantes provocaría reacciones negativas, por ejemplo.
- .... que eso es una excusa para frenar la inmigración. ....: si los gobiernos toman las medidas adecuadas para favorecer la integración de los inmigrantes, no tiene por qué haber problemas.

 9. Clasifica las expresiones que has escrito.

EXPRESAR LA OPINIÓN ....

ACLARAR LO QUE UNO/A HA DICHO ....

INTERPRETAR LO QUE OTRO/A HA DICHO ....

EXPRESAR ACUERDO ....

EXPRESAR DESACUERDO ....

 10. Relaciona los elementos de cada columna.

- No puedo verte mañana	gracias a	indisciplinado.
- El concierto no tuvo lugar	por culpa de	la profesionalidad que demostraron.
- No te he llamado antes,	lo que pasa es que	su incompetencia.
- Le despidieron	de tanto	no tengo tiempo.
- Firmaron el acuerdo con esa empresa	porque	el mal tiempo.
- Perdieron esos clientes tan importantes	debido a	he estado muy ocupado.
- No, no son tan diferentes,	es que	no se entienden.
- Se volvió loco	por	leer libros de caballerías.

11. Completa las frases con una de las posibilidades que te ofrecemos.

1. ...*Debido a*... (el) mal tiempo, no se celebró el partido.

    Debido a   **Porque**   **Como**

2. ...*Como*... no había habitaciones libres, tuvimos que ir a otro hotel.

    Como   **Gracias a que**   **Porque**

3. Cambiamos nuestros planes de vacaciones ...~~*como*~~ *porque*... nos quedamos sin dinero.

    porque   **gracias a que**   **como**

4. No conseguimos ese contrato ~~*por*~~ *culpa de* *gracias a (ironía)* la mala gestión de nuestro director.

    gracias a   **por culpa de**   **porque**

5. Le han despedido del trabajo ...*por*... incompetente.

    de tanto   **por**   **debido a**

12. Transforma estas frases utilizando "con vistas a(l, la)" + sustantivo, "con vistas a (que)", "a fin de (que)" y "con el objeto de (que)" + infinitivo/subjuntivo.

    1. La empresa está ahorrando dinero para adquirir nuevos equipos informáticos.
    La empresa está ahorrando dinero con vistas a adquirir nuevos equipos informáticos.

2. El gobierno está estudiando una reforma de la Ley de Inmigración para frenar la llegada de extranjeros.

....

3. Le transmito estas informaciones para que usted modifique su comportamiento.

....

4. Telefónica está creando una plataforma para el desarrollo de las nuevas tecnologías.

....

5. Para evitar conflictos es mejor que dejemos claros una serie de puntos.

....

6. Los centros de enseñanza deben fomentar el aprendizaje de lenguas extranjeras para que en el futuro los niños puedan desenvolverse bien en un mundo cada vez más interrelacionado.

....

7. Hay que hacer uso del español en la Red para que no haya tanto predominio del inglés.

....

8. Para que nos pongamos de acuerdo sobre ese tema es absolutamente necesario que nos reunamos con total tranquilidad.

....

9. Necesitamos la información económica para una planificación de este año.

....

10. Le digo todas estas cosas para que tome usted en consideración la posibilidad de replantear nuestro acuerdo.

....

Las condiciones de Plutón

El planeta Plutón es el más alejado de todo el Sistema Solar. Se lo relaciona con los instintos más profundos, con cuestiones de poder y con las grandes transformaciones. En la mitología griega y romana era el dios que habitaba y reinaba en el más allá, sobre los muertos.

Vas a aprender a...

Hablar de condiciones imposibles
- De haber...
- Si llego a...
- Si no hubiera...

Hablar de condiciones mínimas para que ocurra algo
- Con tal de que...
- A condición de que...
- Siempre que...

Hablar de una condición como una advertencia
- Como...

Hablar de la única posibilidad de que no se produzca algo
- Excepto que...
- A no ser que...
- Salvo que...

1. Mira estos anuncios y contesta a estas preguntas.

¿EXISTIRÍA SI EDISON HUBIERA NACIDO EN UNA CHABOLA?

¿EXISTIRÍA SI GUTENBERG HUBIERA NACIDO EN EL TERCER MUNDO?

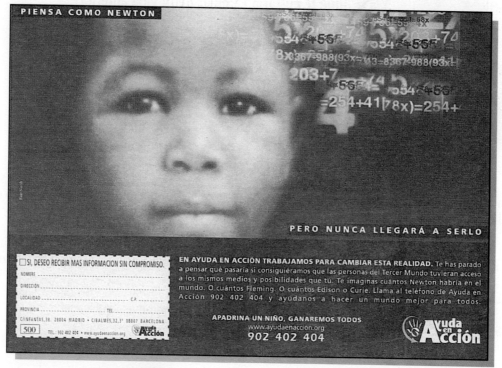

PIENSA COMO NEWTON

PERO NUNCA LLEGARÁ A SERLO

☐ SÍ, DESEO RECIBIR MAS INFORMACION SIN COMPROMISO.

NOMBRE

DIRECCION

LOCALIDAD _____ C.P.

PROVINCIA _____ TEL.

C/INFANTAS,38. 28004 MADRID • C/BALMES,32,3° 08007 BARCELONA

500 TEL.: 902 402 404 • www.ayudaenaccion.org

EN AYUDA EN ACCIÓN TRABAJAMOS PARA CAMBIAR ESTA REALIDAD. Te has parado a pensar qué pasaría si consiguiéramos que las personas del Tercer Mundo tuvieran acceso a los mismos medios y posibilidades que tú. Te imaginas cuántos Newton habría en el mundo. O cuántos Fleming. O cuántos Edison o Curie. Llama al teléfono de Ayuda en Acción 902 402 404 y ayúdanos a hacer un mundo mejor para todos.

APADRINA UN NIÑO, GANAREMOS TODOS
www.ayudaenaccion.org
902 402 404

Ayuda en Acción

PENICILINA

¿EXISTIRÍA SI FLEMING HUBIERA NACIDO EN UN CAMPO DE REFUGIADOS?

¿Sabes quién fue Johannes Gutenberg? ¿Qué hicieron Alexander Fleming, Tomas Alva Edison y Marie y Pierre Curie?

Este texto propone apadrinar un niño. ¿Sabes en qué consiste? ¿Crees que es una buena solución para el Tercer Mundo?

¿Cómo podría ser el mundo si todos tuviéramos las mismas oportunidades?

¿Qué pasaría si los niños y las niñas de países más pobres tuvieran acceso a los mismos medios y posibilidades que tienes tú?

Imagínate cómo habría sido tu vida si hubieras nacido en otro lugar, en otra familia, en otras condiciones. Habla con tu compañero/a e intercambia esa fantasía con él/ella.

órbita 1
LENGUAJE COLOQUIAL

1. Escucha esta canción, "No dudaría", y piensa cuál es el tema.

Haz con tu compañero/a una lista de las cosas que hizo y de las que se arrepiente.
¿Qué le gustaría? Haz una lista.

Y a ti, ¿qué te gustaría cambiar de tu vida anterior?
Si pudiera........

2. Relaciona

a. Si no me hubiera casado con Celia y me hubiera casado con Ikuyo,

b. Si hubiera aceptado el trabajo de directiva que me ofrecieron,

c. Si hubiera tenido hermanos/as,

d. Si en mi país hubiera habido un gobierno democrático,

e. Si hubiera estudiado idiomas cuando era más joven,

f. Si no hubiera hecho aquel viaje a Grecia,

g. Si hubiera evitado aquella discusión tan fuerte con mi socia,

h. Si no hubiera trabajado durante aquellos cuatro meses en una ONG ayudando a la gente del Tercer Mundo,

i. Si yo no hubiera tenido aquella enfermedad tan dolorosa,

j. Si no me hubieran robado todo mi dinero cuando llegué a aquella ciudad,

1. no me sentiría tan solo y no tendría que ocuparme yo siempre de mis padres.

2. nunca habría practicado tanto mi español, porque tuve que hacer un montón de gestiones.

3. me habría ido a vivir con ella a Japón y mi vida habría sido más interesante.

4. no habría conocido a mi marido.

5. no habría sido capaz de mejorar la situación, y ahora no me encontraría tan bien.

6. nunca me habría dado cuenta de lo que significa la pobreza y de las injusticias que hay en el mundo.

7. ahora tendría una situación económica muy buena, pero estaría estresadísima.

8. nunca me habría dado cuenta de cuánto me quieren mi familia y mis amigos, y nunca habría valorado como ahora la salud.

9. no habría tenido que exiliarme, pero tampoco habría conocido a mi actual mujer.

10. ahora estaría preparado para estudiar idiomas con más facilidad.

3. Aquí tienes a cuatro amigos/as. Imagina sus reflexiones y escríbelas siguiendo el ejemplo.

María es profesora en una escuela. Le gusta su trabajo y se siente profesionalmente realizada, pero muchas veces tiene problemas económicos para llegar a fin de mes. Antes de decidir estudiar una carrera de letras, su padre le recomendó que estudiara Económicas, que tenía mucho porvenir. A veces piensa:

Si hubiera estudiado Económicas, ahora tendría una profesión con futuro, ganaría más dinero y no tendría problemas a fin de mes. Pero quizás, si no hubiera estudiado Filología, no me sentiría tan realizada personalmente.

1

Alberto y Sonia decidieron no tener hijos para tener más libertad y poder realizarse profesionalmente. A veces se sienten solos, aunque laboralmente han conseguido todas sus metas.

....
....
....
....

2

Aníbal se fue de Argentina por razones políticas. Rehízo su vida en otro país y formó una familia. A veces, cuando vuelve a Argentina, se siente extraño, pero cuando está fuera echa de menos sus raíces.

....
....
....
....

3

Ramón llevaba una vida muy loca. Un día, iba conduciendo muy rápido y tuvo un accidente. A consecuencia del accidente, tuvo que estar en el hospital tres meses. En esos tres meses reflexionó y cambió su modo de pensar por completo. Ahora es un pintor famoso, pero le ha quedado una lesión en una pierna.

....
....
....
....

4

4. ¿Puedes pensar en un suceso o decisión de tu vida? ¿Qué habría pasado si no hubieras tomado esa decisión o no hubiera sucedido eso? Escríbelo en un papel y no pongas tu nombre. Mezcla tu papel con los de los/as compañeros/as y coge uno. Tienes que adivinar de quién es y comentar lo que ha escrito o hacerle preguntas para que lo aclare.

5. **Lee estas frases. Entre ellas hay tres que no se pueden decir en español. ¿Puedes localizarlas?**

1. Si has terminado el trabajo, ve a la playa.
2. Si hubieras terminado el trabajo, hubiéramos ido a la playa.
3. Si terminarías el trabajo, iríamos a la playa.
4. Si hubieras terminado el trabajo, iríamos a la playa.
5. Si terminarás el trabajo, iremos a la playa.
6. Si terminas el trabajo, vamos a la playa.
7. Si terminaras el trabajo, iríamos a la playa.
8. Si hubieras terminado el trabajo, habríamos ido a la playa.
9. Si terminas el trabajo, iremos a la playa.
10. Si terminabas el trabajo, iríamos a la playa.

Ahora organiza las siete frases restantes según el esquema.

	Si...	Entonces...	
Expresar condiciones reales	....		para hablar de planes futuros.
			para expresar consejos, recomendaciones, órdenes.
Expresar condiciones irreales	....		para reprochar a alguien algo, para especular con el presente, para hablar de cosas que se cree que no van a ocurrir, etc.
Expresar condiciones imposibles	....		para hablar de lo que ahora podríamos hacer.

pero no lo has hecho

6. **Ahora completa el esquema.**

Para ayudarte
presente de indicativo *(terminas)*
futuro *(iremos)*
imperativo *(ve)*
imperfecto de subjuntivo *(terminaras)*
pluscuamperfecto de subjuntivo *(hubieras terminado)*
condicional simple *(iríamos)*
condicional compuesto *(habríamos ido)*

Para ayudarte
Si + pluscpf. subj. + { condicional (simple y compuesto) / pluscpf. subj.

Si... (Hablo del pre- sente o del futuro)	Entonces... (Hablo del futuro)	
Expresar condiciones reales	....	para hablar de planes futuros
		para expresar consejos, recomendaciones, órdenes

Si... (Hablo del pre- sente o del futuro)	Entonces... (Hablo del futuro)	
Expresar condiciones irreales	....	para reprochar a alguien algo, para especular con el presente, para hablar de cosas que se cree que no van a ocurrir, etc.

Si... (Hablo del pasado)	Entonces... (Hablo del presente o del futuro)	
Expresar condiciones imposibles	....	para hablar de lo que ahora podríamos o hubiéramos podido hacer.

7. ¿Puedes construir el pluscuamperfecto de subjuntivo y el condicional compuesto?

Pluscuamperfecto de subjuntivo

(Yo)	
(Tú)	
(Usted, él/ella)	
(Nosotros/as)	
(Vosotros/as)	
(Ustedes, ellos/ellas)	

} ... -ADO/-IDO

Condicional compuesto

(Yo)	
(Tú)	
(Usted, él/ella)	
(Nosotros/as)	
(Vosotros/as)	
(Ustedes, ellos/ellas)	

} ... -ADO/-IDO

8. Vamos a dejar volar nuestra fantasía. En círculo, alguien dice una frase condicional sobre el pasado, y el siguiente la continúa, y así hasta que toda la clase haya dicho su frase. Aquí tienes un ejemplo.

Si no se hubiera inventado el papel dinero, se habría inventado otra forma de intercambio.
Si se hubiera inventado otra forma de intercambio, no se habrían creado los bancos.
Si no se hubieran creado los bancos...

9. Hay otras maneras de expresar las condiciones imposibles. Aquí las tienes. Relaciónalas con la columna de la derecha.

Relaciona

a. De haber sabido que el concierto era tan malo, no habría venido.

b. Si llego a saber antes que este sitio era tan bonito, habríamos venido todos los veranos.

c. De haberme casado con él, mi vida sería diferente.

1. Si hubiera sabido antes que este sitio era tan bonito, habríamos venido todos los veranos.

2. Si me hubiera casado con él, mi vida sería diferente.

3. Si hubiera sabido que el concierto era tan malo, no habría venido.

10. Ahora transforma estas frases.

1. Si hubiera sabido antes que Catalina era tan aburrida, nunca habría/hubiera organizado mis vacaciones con ella.
....
....

2. Si Alberto no hubiera venido, habríamos hecho las cosas de forma diferente, ¿no crees?
....
....

3. Si no hubiera perdido ese tren, nunca te habría/hubiera conocido, fíjate cómo son las cosas.
....
....

4. Si hubiéramos empezado antes este trabajo, ya habríamos terminado y podríamos irnos a bailar, pero... qué se le va a hacer.
....
....

5. Si hubieseis comprado esa casa, ahora estaríais con el agua al cuello. Así que podéis estar contentos.
....
....

práctica global 1

1. Lee esta historia.

Este fin de semana ha habido por la noche una fiesta en casa de un profesor de la escuela. A la fiesta no fueron todos los estudiantes de la escuela. La fiesta no resultó muy divertida. Miguel, uno de los profesores, fue el encargado de preparar la cena. Hizo una barbacoa no muy buena. Elena, otra de las profesoras a quien le gusta mucho cantar, estuvo toda la tarde cantando y tocando a la guitarra sus canciones favoritas. César no dejó de hablar con los alumnos. Al final de la fiesta un vecino protestó y tuvimos que suspenderla rápidamente. Antes de salir de la casa, se fundió la luz.

2. Imagina que tú eres una de las personas que has estado en la fiesta. Elige una de las siguientes situaciones. Tus compañeros harán las otras. Lee tu situación y expresa los reproches que haces.

1. Estuviste toda la noche con dolores de tripa y con náuseas porque te habías comido varias hamburguesas que hizo Miguel. Tenías mucha hambre porque no habíais comido nada antes de la fiesta y, además, en la fiesta no había otras cosas que comer.

2. No te gustó la fiesta porque Elena no paró de cantar sus canciones de siempre. La música era antigua, trasnochada y no se podía bailar.

3. Quisiste que alguien os prestara un tocadiscos para cambiar de música. La de Elena no era muy buena. Como nadie había avisado al vecino, este estaba enfadado y, por eso, no os lo dejó.

4. La cena estaba malísima. No habías comido a mediodía porque pensabas que la cena iba a ser muy buena. Total, que pasaste un hambre atroz.

5. Los vecinos protestaron en lo mejor de la fiesta, cuando estabas conociendo a una persona maravillosa. Como la salida de la fiesta fue tan rápida, no supiste dónde se fue esta persona y no pudiste pedirle un teléfono o algo.

6. Como Ana bebió un poco y no le sienta bien la bebida, dijo cosas inoportunas y acabamos todos reñidos. Total, que la fiesta, más que unir, nos separó.

7. César, que también fue a la fiesta, no paró de hablar de sí mismo y de sus proyectos. Estaba tan pesado que nos aburrió a todos mortalmente y, además, no nos dejaba irnos.

8. La fiesta era bastante aburrida y te hubiera gustado irte antes de terminar. Sin embargo, como habías ido con Mercedes en su coche, tenías que esperar a que ella decidiera volver a casa. Además, ella estaba encantada de charlar con todo el mundo. Así que te quedaste hasta las tantas de la noche.

órbita 2
LENGUAJE PROFESIONAL

1. ¿Qué asocias con estos conceptos? ¿Tienen alguna relación entre sí? ¿Cómo se reflejan en tu vida diaria?

globalización · la Red · competencia

2. Lee este texto y comenta con los/as compañeros/as qué diferencias hay entre "competencia" y "competición".

> *Circunstancias como la globalización de la economía, la creciente competencia en los distintos sectores y la introducción de la Red en el mundo empresarial han impulsado los acuerdos de cooperación y alianzas estratégicas entre compañías que compiten entre sí. Se trata del fenómeno de la coopetición, que aprovecha las complementariedades entre las firmas competidoras para lograr el beneficio conjunto: cooperar con el enemigo.*

3. Escucha este diálogo en la reunión del Consejo de Administración de la empresa Tacones Cercanos y contesta a las preguntas.

¿Qué puntos o aspectos son importantes para decidir esta alianza?
¿Qué debe aportar la otra empresa para que la alianza sea favorable?
¿Qué puntos deben estudiar las comisiones?

4. Este texto gira en torno a las condiciones de la alianza. Aquí tienes las condiciones expresadas. Clasifícalas en el cuadro.

> *Os lo advierto, como no tomemos pronto una decisión, se buscarán otro socio, y eso tal vez no nos convendría.*

> *Me parecería rarísimo, pero en caso de que posean una capacidad tecnológica superior a la nuestra, unos recursos humanos más desarrollados o una posición privilegiada en el mercado, cosa que no creo, estaría dispuesto a admitirla.*

> *Yo no tengo ninguna objeción a la alianza, con tal de que tengan unas actitudes y una filosofía semejantes a las nuestras. Es lo mínimo que pido: no vamos a renunciar a nuestra identidad.*

> *Yo creo que estableciendo cuidadosamente unos objetivos comunes, la alianza sería de gran efectividad para las dos. Sería la mejor manera de hacerlo.*

> *Bueno, esto está hecho, excepto que no acepten las cláusulas del contrato de reparto de la producción. Ellos, zapatos de hombre, y nosotros, de mujer.*

Condición mínima imprescindible.	
Única posibilidad para que no se produzca.	
Condición remota.	
Condición con significado de amenaza o advertencia.	
Condición referida a la manera de realizarse.	

Todas estas oraciones van con los verbos en subjuntivo.

5. Relaciona las expresiones.

Relaciona

Siempre que	Con tal de que
Excepto que	Salvo que
	Siempre y cuando
	A no ser que

6. Mira el perfil de estas personas. ¿Bajo qué condiciones crees que harían qué?

1. Fernando tiene vértigo, está haciendo el servicio militar en el ejército del aire. ¿Se tirará en paracaídas?

2. Begoña no quiere tener hijos, pero su marido sí. Su marido nunca está en casa porque viaja constantemente y no puede ayudarla con los niños. ¿Los tendrá?

3. A Jesús no le gusta nada viajar. Le han ofrecido un puesto de Director Comercial, pero le exigen viajar mucho. ¿Lo aceptará?

4. Margarita está cerrando un contrato comercial en un país en el que se come cerebro de mono. Le invitan a comer la especialidad del país. ¿Se la comerá?

5. David está muy orgulloso con su pelo largo. ¿Se lo cortará algún día?

> GRAMÁTICA ACTIVA

7. **Lee estas frases y colócalas en el esquema correspondiente.**

Acepto su propuesta siempre y cuando me hagan una rebaja.

Firmaremos el contrato con tal de que ustedes acepten nuestros criterios.

Vale, tomamos esa decisión a no ser que tengáis algo que añadir.

Entonces, ya te he informado de todo y me puedo ir. En caso de que hubiera un imprevisto, lláma-me al móvil.

Habríamos firmado el contrato en caso de que nos hubieran hecho una buena propuesta, pero no fue así.

No tendría nada en contra de este candidato, siempre y cuando fuera más formal.

Siempre que me lo hubiera dicho con la suficiente antelación, se lo habría hecho.

1	+ presente de subjuntivo
Con tal de que Siempre que Siempre y cuando A condición de que Excepto que En caso de que A no ser que Salvo que Como	

2	+ imperfecto de subjuntivo
Con tal de que Siempre que Siempre y cuando A condición de que Excepto que En caso de que A no ser que Salvo que Como	

3	+ pluscuamperfecto de subjuntivo
Con tal de que Siempre que Siempre y cuando A condición de que Excepto que En caso de que A no ser que Salvo que Como	

8. ¿En qué esquema encaja cada uno de estos conceptos?

- Condición posible en el presente o en el futuro. ☐

- Condición improbable o irreal en el presente o en el futuro. ☐

- Condición irreal en el pasado. ☐

9. Aquí tienes estas frases. Imagínate el contexto exacto en que se han dicho.

1. Te habría perdonado siempre y cuando me hubieras pedido perdón.

2. Te contaría el problema que tengo con mi socio en caso de que fueras una persona discreta.

3. Te llamaré a no ser que suceda lo que me imagino.

4. Le habría hecho el favor con tal de que no se hubiera portado así.

5. No, no me importa el color, excepto que sea muy llamativo.

práctica global 2

1. Hay cosas que nunca haríamos. Hay quien dice, por ejemplo, que nunca tendría un gato en casa. Sin embargo, bajo ciertas condiciones, quizás lo haría, o se vería obligado/a a hacerlo. Por ejemplo, en caso de que hubiera ratones, tendría un gato en casa.

Piensa cinco cosas que nunca harías:

Vivir en...
Trabajar en/de...
Comer...
Comprar...
Asociarte con...

2. La clase se divide en grupos. Cada persona dice las cosas que nunca haría y el resto del grupo intenta encontrar condiciones bajo las cuales esa persona quizá sí haría esas cosas.

- Yo nunca comería insectos.
• ¿Y en caso de que estuvieras en un sitio donde se comen insectos y se considerase una descortesía no comerlos?
- Pues tampoco. Excepto que no hubiera otra cosa que comer.

1

1. ¿Cómo se inicia una conversación entre dos personas? Escucha y escribe qué dicen en cada caso para establecer la comunicación.

1. ....
2. ....
3. ....
4. ....
5. ....
6. ....
7. ....
8. ....
9. ....
10. ....

2. Completa los siguientes cuadros de diálogo.

LLAMAR LA ATENCIÓN DE ALGUIEN	
En general.	
Cuando tenemos la sensación de que podemos molestar a la otra persona.	
Cuando nos sentimos culpables por la interrupción que le causamos.	

REACCIONAR A LA LLAMADA DE ATENCIÓN, MOSTRANDO QUE ESTAMOS DISPUESTOS A ESCUCHAR	REACCIONAR A LA LLAMADA DE ATENCIÓN, MOSTRANDO QUE NO PODEMOS O NO ESTAMOS DISPUESTOS A ESCUCHAR

3. Mira estas imágenes. ¿Cómo te dirigirías a estas personas?

Ponte en el lugar de las personas marcadas. ¿Cómo te dirigirías a ellas y cómo responderías?

3   4   5

4. Piensa en algo que les quieres decir a cinco de tus compañeros/as en concreto. La clase está en silencio y tu profesor/-a hará una señal para comenzar. Tienes que llamar la atención de los/as compañeros/as en los/as que has pensado. Quizá están hablando en ese momento con otra persona y les vas a interrumpir. Reacciona cuando otros/as llamen tu atención.

2

1. Muchas veces iniciamos una conversación para preguntar algo y, a veces, las preguntas que hacemos requieren una respuesta afirmativa o negativa. Escucha estas conversaciones de dos en dos y marca:

	1	2	3	4	5	6	7	8	9	10
La respuesta es sólo sí o no.	☐	☐	☐	☐	☐	☐	☐	☐	☐	☐
En la respuesta se añade información nueva.	☐	☐	☐	☐	☐	☐	☐	☐	☐	☐
La respuesta repite lo que se dice en la pregunta.	☐	☐	☐	☐	☐	☐	☐	☐	☐	☐
La respuesta es muy seca.	☐	☐	☐	☐	☐	☐	☐	☐	☐	☐
La respuesta me parece normal/correcta.	☐	☐	☐	☐	☐	☐	☐	☐	☐	☐
La pregunta ha sido formulada varias veces: la persona que responde está harta.	☐	☐	☐	☐	☐	☐	☐	☐	☐	☐

En situaciones de comunicación "normales", cuando se hacen preguntas que requieren una respuesta del tipo sí/no, a menudo la persona que responde añade cosas que cree que la persona que pregunta necesita saber.

Se responde sólo sí o no en situaciones en las que las preguntas se hacen para obtener una información concreta (preguntas para rellenar un formulario, por ejemplo), cuando hay prisa, etc.

Al responder, se repite lo que se ha preguntado, para indicar a la otra persona que está haciendo demasiadas preguntas. O bien, en situaciones muy formales, para dar a la otra persona la sensación de mucho respeto.

2. Con tu compañero/a, imagina contextos para las situaciones que aparecen a continuación y desarrolla diálogos a partir de preguntas que requieren una respuesta del tipo sí/no:

- En un mostrador de atención al público: rellenar un formulario.
- En una situación muy formal.
- En una situación informal (con amigos/as, compañeros/as, familiares, etc.).
- En una situación informal en la que hay prisa.
- En una situación informal en la que se hacen demasiadas preguntas.

1. Entre las muchas formas de aprender, últimamente se está ampliando muchísimo el interés por la educación a distancia. ¿Por qué crees que es? ¿Cuáles son las ventajas y los inconvenientes de este tipo de aprendizaje? Coméntalo con tus compañeros/as.

 2. Vamos a pensar en formas de aprendizaje a distancia. Haz una lista de formas para aprender a distancia.

curso a través de la Red

aprender a distancia

 3. ¿Cuáles son las características que más te podrían interesar en los sistemas de enseñanza a distancia en la Red? Aquí tienes algunas, amplía la lista y coméntalas con tus compañeros/as.

Interactividad
Autocorrección
Tutoría
Autenticidad de los materiales
Accesibilidad de la información
Libertad de horario
Autonomía
Posibilidad de volver atrás o avanzar
....

 4. Por el contrario, ¿cuáles crees que son las desventajas de la enseñanza a distancia? Haz una lista.

1. ....
2. ....
3. ....
4. ....
5. ....
6. ....
7. ....
8. ....
9. ....
10. ....

FINAL

5. Aprender español en la Red es una de las posibilidades que tienes para continuar con tu formación lingüística. ¿Qué condiciones tendrían que reunir los cursos o materiales a distancia para que tú te decidieras a seguirlos?

6. A continuación te damos una serie de direcciones que te pueden ser de utilidad en la búsqueda de materiales para informarte de las posibilidades de aprender español en la Red o de tener acceso a materiales auténticos (periódicos, radios, bibliotecas,etc.).

www.cervantes.es
www.sispain.org-spanish
www.webcom.com
www.ucm.es
www.elpais.es
www.elmundo.es
www.tandem-madrid.com

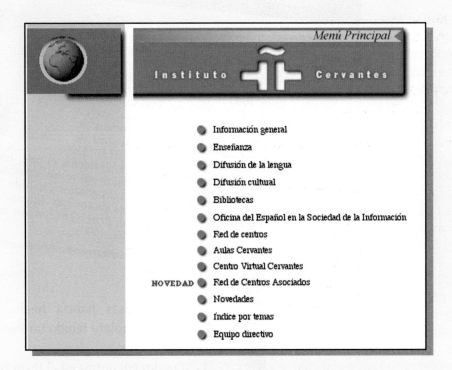

7. Dividimos la clase en grupos, y cada grupo se encarga de mirar ciertas direcciones y analizar si son útiles para el aprendizaje del español. Al final, cada grupo decide cómo va a organizar su perfeccionamiento del idioma haciendo uso de la Red.

órbita 3
RUTA LITERARIA
taller de letras

1. Muchas veces miramos al pasado para pensar qué habríamos hecho si las circunstancias hubieran sido otras. Aquí tienes un texto en el que el autor expresa lo que habría hecho si hubiera tenido un hijo. Léelo.

El hijo

De haber tenido un hijo
no lo habría llamado
ni mario ni orlando ni hamlet
ni hardy ni brenno
como reza mi fardo onomástico

más bien le habría
colgado un monosílabo
algo así como luis o blas o juan
o paz o luz si era mujer
de manera que uno pudiera convocarlo
con sólo respirar

de haber tenido un hijo
le habría enseñado a leer
en los libros y muros
y en los ojos veraces
y también a escribir
pero sólo en las rocas
con un buril de fuego

de modo que las lluvias
limpiaran sus palabras
defendiéndolas
de la envidia y la roña
y eso aunque nunca nadie
se arrimara a leerlas

de haber tenido un hijo
acaso no sabría qué hacer con él
salvo decirle adiós cuando se fuera
con mis heridos ojos
por la vida

Mario Benedetti,
Despistes y franquezas.

Mario Benedetti

Mario Benedetti nació en Uruguay en 1920. Se educó en el Colegio Alemán de Montevideo, y comenzó a trabajar a los catorce años. Ejerció diversas profesiones.

Se formó como periodista en el semanario *Marcha*, desde 1945 hasta que lo clausuraron en 1974. Dirigió el Centro de Investigaciones Literarias de la Casa de las Américas, en La Habana (1968-1971), y el Departamento de Literatura Hispanoamericana de la Facultad de Humanidades de Montevideo (1971-1973). En 1973, a raíz del golpe militar, tuvo que abandonar el país. En su exilio recorrió Argentina, Perú, Cuba y España, donde reside actualmente.

Ha publicado 45 libros de los más diversos géneros y ha sido traducido a más de veinte idiomas. Algunos de sus títulos son: *Inventario* (poesía, 1950-1980), *Pedro y el capitán* (teatro), *Primavera con una esquina rota* (novela), *Despistes y franquezas* (poesía, 1990).

2. ¿Qué cosas habría hecho Mario Benedetti si hubiera tenido un hijo?

3. ¿Puedes encontrar en el texto referencias a la situación o vida del autor que él hubiera querido cambiar en la vida de un hijo? ¿Qué es lo que desearía para él?

4. ¿Te has fijado en que el texto no tiene puntos ni comas ni mayúsculas? ¿Qué efecto produce sobre ti al leerlo? ¿Puedes reescribirlo con comas, puntos y mayúsculas? Discute con tu compañero/a las posibles razones del autor para no puntuar el texto. Aquí tienes algunas hipótesis.

> *No le gusta seguir la norma.*
> *Quiere fomentar la participación del lector.*
> *Es poesía automática.*

5. ¿Y tú? ¿Qué habrías hecho si hubieras hecho lo que no has hecho? ¡Vaya lío! ¿no? Si quieres, puedes escribir una poesía como la de Benedetti, sin puntos ni comas. Aquí tienes algunas sugerencias:

De haber sido mujer/hombre
De haber sabido que...

De haber nacido en...
De haber amado a...

6. Aquí tienes otro poema que trata del tema de tener hijos, esta vez con una voz femenina. Se trata de un poema de Gloria Fuertes, una muy popular poeta española. Léelo y contesta las preguntas.

1. ¿Crees que es un poema optimista o pesimista?
3. Ponle un título al poema.

2. ¿Qué visión de la vida presenta?
4. ¿Crees que tendrá un hijo?

7. Vamos a hacer más positivo el poema. Reescríbelo, manteniendo la estructura pero cambiando las expresiones para que sean positivas. Podrías titularlo *Lo bueno de tener un hijo hoy.*

Tener un hijo hoy...
para echarle a las manos de los hombres
-si fuera para echarle a las manos de Dios-.
Tener un hijo hoy,
para echarle en la boca del cañón,
abandonarle en la puerta del dolor,
tirarle al agua de la confusión.
Tener un hijo hoy,
para que pase hambre y sol,
para que no escuche mi voz,
para que luego aprenda la instrucción.
Tener un hijo hoy,
para que le haga ciego la pasión
o víctima de persecución,
para testigo de la destrucción.
Tener un hijo hoy...
con él dentro voy,
donde ni él mismo se pueda herir,
dónde sólo Dios le hará morir.

Gloria Fuertes,
Obras incompletas, Todo asusta.

Gloria Fuertes

Poeta española (Madrid, 1918-1999), que a través de sus versos llenos de juegos de palabras y de rimas muy marcadas, manifiesta los rasgos de humor, pacifismo y humanidad que definen su vida y su obra, de carácter intimista y entrañable. Es tan conocida por su literatura infantil (*Cangura para todo*, 1968; *Don Pato y Don Pito*, 1970; *El camello-auto de los Reyes Magos*, 1973, entre otras), como por el resto de su producción adulta, de carácter feminista (*Isla ignorada*, 1950; *Poeta de guardia*, 1968; *Sola en la sala*, 1973; *Obras incompletas*, 1975; *Historia de Gloria -Amor, humor y desamor-*, 1980).

RUTA LITERARIA
paisaje: selva

1. Aquí tienes un mapa del mundo. Los colores muestran los biomas o grandes zonas de vida. ¿Qué se sitúa en el cinturón verde central? ¿Qué países americanos se sitúan en esa zona verde? ¿Sabes cómo se llama esa zona?

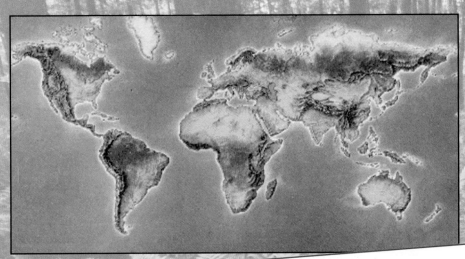

Impenetrable mundo de humedad y verdor: selva húmeda, selva ecuatorial, selva umbrófila, bosque lluvioso, selva pluvial, son sus nombres. La selva, enclave donde la relación ser humano-medio ambiente adquiere todo su significado, bellísimo sistema de equilibrio, en el que animales y plantas reciben un tratamiento respetuoso del ser humano siguiendo las leyes de la Madre Tierra. Hoy son última frontera de un complejo mundo, lleno de vida, que nos da la última oportunidad de aprender a convivir con la naturaleza. La selva colombiana le habla al mundo animal y vegetal en español.

2. La selva amazónica es la más grande del planeta. En el caso de Colombia, un 35% de la superficie total del país es una selva de enorme diversidad biológica, en la que conviven el mayor número de especies del planeta y muchas culturas indígenas. ¿Conoces los problemas con los que se enfrenta esta región? Aquí tienes algunos datos: relaciónalos y coméntalos con tus compañeros/as.

tala del bosque húmedo
desertificación
desaparición de fauna silvestre

desaparición de grupos étnicos
agotamiento de recursos naturales
erosión y pérdida de suelos

3. Una de estas culturas de la Amazonía colombiana es la de los Ticunas. Aquí tienes un mito ticuna.

LOS TICUNAS PUEBLAN LA TIERRA (Mito Ticuna – Colombia)

Yuche vivía desde siempre solo en el mundo. En compañía de las perdices, los paujiles, los monos y los grillos había visto envejecer la Tierra. A través de ellos se daba cuenta de que el mundo vivía y de que la vida era tiempo y el tiempo... muerte.

No existía en la Tierra sitio más bello que aquel donde Yuche vivía: era una pequeña choza en un claro de la selva y muy cerca de un arroyo enmarcado en playa de arena fina. Dicen que nadie ha visto el sitio, pero todos los Ticunas esperan ir allí algún día.

Una vez Yuche fue a bañarse al arroyo, como de costumbre. Al lavarse la cara se inclinó hacia adelante mirándose en el espejo del agua y por primera vez notó que había envejecido.

-Estoy ya viejo... y solo. ¡Oh!, si muero, la tierra quedará más sola todavía.

Apesadumbrado, despaciosamente emprendió el regreso a su choza. El susurro de la selva y el canto de las aves lo embargaban ahora de infinita melancolía.
Yendo por el camino sintió un dolor en la rodilla. Comenzó a sentir que un pesado sopor lo invadía.

-Es raro cómo me siento. Me acostaré tan pronto llegue.

Siguió caminando con dificultad y al llegar a su choza se recostó, quedando dormido.
Tuvo un largo sueño. Soñó que mientras más soñaba, más envejecía y más débil se ponía, y que de su cuerpo agónico salían otros seres.

Despertó muy tarde, al otro día. Quiso levantarse, pero el dolor se lo impidió. Entonces se miró la inflamada rodilla y notó que la piel se había vuelto transparente. Le pareció que algo en su interior se movía. Al acercar más los ojos vio con sorpresa que, allá en el fondo, dos minúsculos seres trabajaban.
Las figurillas eran un hombre y una mujer: el hombre templaba un arco y la mujer tejía un chinchorro.
Intrigado, Yuche les preguntó:
-¿Quiénes son ustedes? ¿Cómo llegaron ahí?

Los seres levantaron la cabeza, lo miraron, pero no respondieron y siguieron trabajando.
Al no obtener respuesta, hizo un máximo esfuerzo para ponerse de pie, pero cayó sobre la tierra. Al golpearse, la rodilla se reventó y de ella salieron los pequeños seres, que empeza-ron a crecer rápidamente, mientras él moría.
Cuando terminaron de crecer, Yuche murió.
Los primeros Ticunas se quedaron por algún tiempo allí, donde tuvieron varios hijos; pero más tarde se marcharon porque querían conocer más tierras y se perdieron.
Muchos Ticunas han buscado aquel lugar, pero ninguno lo ha encontrado.

T A R E A S

1. ¿Qué narra esta historia? ¿Qué título le darías?
2. ¿Quién es Yuche y dónde se encuentra?
3. ¿Quiénes son el hombre y la mujer que salen de su rodilla?
4. ¿Qué crees que significa el hecho de que ningún Ticuna haya vuelto a encontrar ese lugar?
5. ¿Existe en tu cultura o en alguna otra cultura que conozcas algún mito similar? ¿Cuáles son los puntos comunes o parecidos en la narración?

 Dividimos la clase en dos grupos: A y B.

GRUPO A

1. Escribimos veinte frases en las que indicamos actividades y las condiciones para realizarlas.

Ejemplo: *Si tuviera más tiempo libre, haría ese curso de guitarra tan bueno.*

2. Luego escribimos en un papel sólo las condiciones.

Ejemplo: *Si tuviera más tiempo libre...*

3. Le damos el papel al grupo B sólo con las condiciones y ellos/as nos dan otro con las suyas. Con estas condiciones y nuestras acciones, tenemos que formar nuevas frases. Tal vez haya que revisar que nuestras nuevas frases sean correctas gramaticalmente, así que las revisamos y corregimos.

4. Con estas nuevas veinte frases, escribimos el poema de las condiciones absurdas.

5. Recitamos nuestro poema.

GRUPO B

1. Escribimos veinte frases en las que indicamos actividades y las condiciones para realizarlas.

Ejemplo: *Te dejaré mi máquina de fotos, con tal de que m la devuelvas mañana sin falta.*

2. Escribimos en un papel sólo las condiciones.

Ejemplo: *Con tal de que me la devuelvas mañana sin falta*

3. Le damos el papel al grupo A. Ellos/as nos darán otro papel. Con las condiciones que nos hayan dado los/as compañeros/as del grupo B y nuestras acciones, tenemos que formar nuevas frases. Tal vez haya que revisar que nuestras nuevas frases sean correctas gramaticalmente, así que las revisamos y corregimos.

4. Con estas nuevas veinte frases, escribimos el poema de las condiciones absurdas.

5. Recitamos nuestro poema.

EN ESTA UNIDAD HAS APRENDIDO:

VOCABULARIO:

- Economía: *Globalización, competencia.*
- Enseñanza: *Autocorrección.*

GRAMÁTICA:

Recuerda la forma del pluscuamperfecto de subjuntivo y del condicional compuesto. Elige un verbo y forma los tiempos:

	Pluscuamperfecto de subjuntivo	Condicional compuesto
(Yo)		
(Tú)		
(Usted, él/ella)		
(Nosotros/as)		
(Vosotros/as)		
(Ustedes, ellos/ellas)		

¿Qué tiempos utilizamos en las oraciones condicionales? Completa:

Si ...., *presente* o *imperativo* o *futuro* para hablar de condiciones reales.
Si ...., *condicional* para hablar de condiciones presentes de difícil realización.
Si ...., *condicional* para hablar de condiciones imposibles, porque no se han producido, sobre el presente.
Si ...., *condicional compuesto* para hablar de condiciones imposibles sobre el pasado.

Las oraciones condicionales especiales van con .... Completa las frases:

"Con tal de que, siempre que, como..." + presente de subjuntivo, para ....
"Con tal de que, siempre que, como..." + imperfecto de subjuntivo, para ....
"Con tal de que, siempre que, como..." + pluscuamperfecto de subjuntivo, para ....

CÓMO SE DICE:

Recuerda expresiones para:

- Hablar de las condiciones mínimas: *Con tal de que...*
- Hablar de las condiciones remotas: *En caso de que...*
- Hablar de la única posibilidad de que no se produzca: *Excepto que...*
- Hablar de una condición como una advertencia: *Como...*

1. Completa el esquema con las formas del imperfecto de subjuntivo del verbo "haber".

(Yo)		
(Tú)		Hubieses
(Usted, él/ella)		
(Nosotros/as)	Hubiéramos	
(Vosotros/as)		
(Ustedes, ellos/ellas)		

2. Ya sabes que para hacer el pluscuamperfecto de subjuntivo de cualquier verbo, necesitas el imperfecto de subjuntivo del verbo "haber", en cualquiera de sus dos formas, y el participio. Haz el pluscuamperfecto de estos verbos en la persona correspondiente.

Vivir (yo)   *hubiera o hubiese vivido*
Hacer (ellos)   ....
Tener (nosotros)   ....
Ser (ustedes)   ....
Poner (tú)   ....
Ver (vosotras)   ....
Decir (usted)   ....

3. ¿Podrías hacer ahora la forma del condicional compuesto de estos mismos verbos? Recuerda que se forma con el condicional del verbo "haber" y el participio.

Hacer (ellos)   ....
Tener (nosotros)   ....
Ser (ustedes)   ....
Poner (tú)   ....
Ver (vosotras)   ....
Decir (usted)   ....

4. Aquí tienes unas oraciones que son incorrectas. Escribe la frase correcta.

1. Si podrás mañana, ven a verme. Es urgente que hable contigo.
....
2. Si haría calor, iría a la playa. Pero, con este frío...
....
3. Si hubiera tenido más tiempo libre, tal vez fuera a verte.
....
4. Si habría visto a Juan, te lo habría dicho.
....
5. Si hubiera sabido lo que pasaba, te lo diga.
....
6. Si supiera lo que iba a pasar, no viniera.
....

7. Si hubiera estado contigo, no pasó eso tan desagradable que me cuentas.

....

8. Si me habrías dicho lo que querías hacer, no hubiéramos hecho eso que tan poco te ha gustado. Es que, a veces, eres muy reservado.

....

5. Escucha estos diálogos y anota las respuestas que se dan.

1. ....

2. ....

3. ....

4. ....

6. Completa la información que falta y transforma las frases.

1. ¿Le dejarán el ordenador?

No, ... no venga José.
Sí, ... no tarda mucho.
Sí, ... lo necesita.

2. ¿Le dejan diez pesetas?

Sí, ... hubiera traído la cartera.
Sí, ... no encuentre a otro.
Sí, ... las devuelva mañana.

3. ¿Quedan mañana a las siete?

Sí, pero como ...., se va.
No, excepto que ....

4. ¿Van a la Amazonía?

Siempre que ....

7. Completa las siguientes frases. ¿Qué hubieras hecho si...?

1. Si tu profesor/-a te hubiera...
2. Si no hubieras ido a...
3. Si hubiera pensado antes que...
4. Si me hubieran dicho que...
5. Si (yo) hubiera sido...

En autonomía

 8. Relaciona y escribe las frases.

a. Tener tiempo
b. Saberlo antes
c. Recibir tu carta a tiempo
d. Conocerte antes
e. No pelearme con Olga
f. Comportarte de otra forma

1. pensar otra cosa de ti.
2. todo ser distinto.
3. las cosas continuar como antes.
4. ir de compras.
5. no alarmarte con mi llamada.
6. visitarte.

Ejemplo: Si hubiera tenido tiempo, habría ido de compras y te habría comprado un regalo.

 9. Transforma las frases según el modelo.

Si lo hubiera sabido, no hubiera venido.
De haberlo sabido, no hubiera venido.

1. Si hubiera llegado antes, no habría perdido el tren.
....
2. Si hubiera estudiado más, habría aprobado el examen.
....
3. Si mañana hace bueno, vamos a la playa.
....
4. Si lo hubieras pensado mejor, ahora no tendrías estos problemas.
....
5. Si trabajaras más, ganarías más.
....

 10. Transforma las frases como en el modelo.

Ejemplo: Iré contigo con tal de que me asegures que me traerás a casa pronto.

1. Iré contigo sólo si me aseguras que me traerás a casa pronto.
....
2. Te dejo la máquina de fotos sólo si me prometes cuidarla.
....
3. Podrás entrar en el teatro sólo si llegas a tiempo.
....
4. Es un club muy exclusivo y sólo se puede entrar si vas vestido de etiqueta.
....
5. Me dijo que podría cambiar la máquina si simplemente traía el recibo de caja.
....

 11. Piensa en cuál es tu condición mínima para hacer estas cosas.

- Irte a vivir a una isla desierta.
- Aprender otro idioma.
- Empezar una nueva vida.

- Escribir un libro.
- Volver a la escuela.

12. Transforma las frases.

Ejemplo: No podré ir contigo al concierto excepto que Guillermo cancele la cita que tiene conmigo.

1. No podré ir contigo al concierto. Pero si Guillermo cancela la cita que tiene conmigo, entonces sí.
....

2. Bueno, Elena, ya lo sabes todo, así que ya no te vuelvo a llamar ni a molestarte. Pero si hay novedades, entonces sí.
....

3. María se irá esta semana y probablemente pasaremos mucho tiempo sin verla. Bueno, si cambia de opinión, entonces sí.
....

4. Ana vendrá seguro a mi fiesta. Si no lo sabe, no, claro.
....

5. No, Miguel no viene con nosotros de vacaciones, no tiene dinero. Bueno, si le dan un adelanto en su empresa, sí. Pero no creo.
....

6. Me han dicho que César va a dejar la oficina y se va a ir por su cuenta. Pero si no le avala su suegro, entonces se queda.
....

7. Óscar es una persona la mar de simpática. Bueno, si tiene el día torcido...
....

8. Hombre, no la conozco mucho. Pero, si no me confundo demasiado, Celia es la candidata ideal para este puesto, ¿no?
....

13. Haz esta sopa de letras buscando ocho palabras del ámbito económico. Después escribe la definición de cada palabra.

```
O I N Z R U W H A M L Y
B B M G H I J K L M N O
C O M P E T E N C I A M
X L Ñ Z O E U S L I R T
R S I M E R C A D O S E
T A D E F O T Q R S W I
U Z E A N I O A U M K Ñ
O L F M P T A X C Q Q A
W H G A N R E Y B I P U
S E C T O R A E N Ñ O A
E X P O R T A C I O N N
```

Ejemplo: *BOLSA*..
....
....

El tiempo
de Saturno

El planeta Saturno está rodeado de un anillo luminoso. Está relacionado con la aceptación de las propias limitaciones, con las responsabilidades, miedos, cargas. En la mitología romana, asociado al dios griego Cronos, era una divinidad de carácter agrio que simbolizaba el paso del tiempo y que, según el mito, se comió a sus propios hijos.

En cuanto...

Tan pronto como...

Siempre que...

Cada vez que...

Hablar de acciones inmediatas

Hablar de acciones habituales

Hablar de acciones progresivas

Conforme...

Vas a aprender a...

Hablar de acciones anteriores

Hablar de acciones contemporáneas

Antes de que...

Mientras tanto...

1. Escucha esta canción.

Pasa la vida.
No has notado que has vivido
cuando pasa la vida.
Pasa la vida.
Tus ilusiones y tus bellos sueños,
todo se olvida.
Pasa la vida igual que pasa la corriente
del río cuando busca el mar,
y yo camino indiferente
allí donde me quieran llevar.

Pasa el cariño.
Juramos un amor eterno y luego
pasa el cariño,
pasa el cariño.
Apenas comprendemos que hubo un tiempo
que nos quisimos.
Pasa el cariño igual que pasa la corriente
del río cuando busca el mar,
y yo camino indiferente
allí donde me quieran llevar.

Pasa la gloria.
Nos ciega la soberbia,
cuando un día pasa la gloria.
Pasa la gloria,
y ves que de tu obra ya no queda
ni la memoria.
Pasa la gloria igual que pasa la corriente
del río cuando busca el mar,
y yo camino indiferente
allí donde me quieran llevar.

Pasan los años.
Se va la juventud calladamente,
y pasan los años.
Pasan los años.
Pasa la vida con su triste carga
de desengaños.
Pasan los años igual que pasa la corriente
del río cuando busca el mar,
y yo camino indiferente
allí donde me quieran llevar.

2. ¿De qué habla esta canción?

¿Puedes diferenciar el contenido de las cuatro estrofas?
¿Es optimista o pesimista esta canción?
¿Tienes tú el mismo concepto del tiempo y de la vida?

3. ¿Qué asocias a la palabra "tiempo"?

tiempo

Una frase popular dice:
"Cualquier tiempo pasado fue mejor".

En el Renacimiento se tomó de los clásicos latinos la expresión *CARPE DIEM* ("agarra el día", es decir, "disfruta el momento").

Según la filosofía oriental, el ser humano no alcanza la felicidad porque, o bien está anclado en el pasado, o bien está obsesionado con el futuro. Por eso, considera que se debe vivir el presente.

¿Estás de acuerdo con estas ideas? ¿Con cuál estás más de acuerdo? ¿Puedes hacer con tu compañero/a una lista de acciones o actitudes para disfrutar del momento y vivir el presente?

órbita 1
LENGUAJE COLOQUIAL

1. Ya sabes que el dios Cronos/Saturno se comía a sus hijos, por eso este tema va a relacionarse con la comida. Dividimos la clase en cinco grupos. Cada grupo tiene que pensar en todas las palabras que recuerda sobre los alimentos.

| OTROS | PESCADO | FRUTAS |
| CARNES | VERDURA |

1

2

2. Pepa se ha independizado de sus padres hace un par de meses. Recuerda con nostalgia el gazpacho que hace su padre, pero... no ha aprendido a hacerlo. Así que ahora quiere impresionar a sus amigos con un buen gazpacho y llama a su padre, que es el especialista. Escucha el diálogo y haz una lista de los ingredientes, la cantidad de cada uno de ellos y los utensilios de cocina necesarios.

Ingredientes	Cantidades	Utensilios

3. Mira esta foto.
¿Sabes qué es? ¿Qué ingredientes tiene?

Para ayudarte

Primero
Después/luego
Mientras
Hasta que
En cuanto
Antes de que
Cuando
Una vez

4. Una receta es cosa de tiempo. ¿Y qué mejor manera de pasar el tiempo que preparando una paella? Aquí están los pasos necesarios para prepararla. ¿En qué orden los colocarías?

- Cocer el marisco. ☐
- Cocer los guisantes. ☐
- Reservar el caldo. ☐
- Lavar y cortar los calamares. ☐
- Cortar los pimientos en tiras. ☐
- Cortar el pollo en trozos. ☐
- Sofreír los calamares, el pimiento y el pollo. ☐
- Cortar y sofreír la cebolla. ☐
- Quitar las cabezas y las cáscaras a las gambas. ☐
- Echar el arroz sobre el sofrito. ☐
- Agregar tomate al sofrito. ☐
- Añadir el caldo del marisco. ☐
- Machacar el ajo y el azafrán en el mortero. ☐
- Añadir el ajo. ☐
- Cocer durante 20 minutos. ☐
- Dejar reposar de 5 a 10 minutos. ☐

5. Ahora lee la receta y compárala con la tuya.

Por supuesto, esta receta de paella es nuestra receta, admite tantas variantes como cocineros/as haya.

Primero cuece el marisco (almejas, mejillones, etc.) hasta que se abra. En el caldo añade las cáscaras de las gambas que habrás pelado antes. Mientras esté cociendo el caldo, parte los pimientos en tiras, limpia los calamares y córtalos en trozos, pica la cebolla y sofríelo a fuego lento en la paellera. Conforme se vaya haciendo el sofrito, añade el pollo cortado en trozos. Así que esté la cebolla blandita, añádele el tomate, que habrás picado previamente. En cuanto esté todo preparado, añade dos tazas de arroz y déjalo sofreír unos minutos. Inmediatamente añade cuatro tazas del caldo en el que has cocido el marisco y las cáscaras de las gambas y déjalo cocer veinte minutos. Mientras se está cocinando, machaca un ajo y unas hebras de azafrán. Cinco minutos antes de terminar la cocción, añade el ajo machacado, las gambas, que todavía están crudas, y los mariscos que cociste antes. Cuando hayan transcurrido veinte minutos, apaga el fuego. Cubre la paellera con papel de periódico y deja reposar la paella diez minutos. ¡Buen provecho!

Relaciona

6. Relaciona: Estas expresiones indican que:

a. Un suceso es anterior a otro.

b. Un suceso es posterior a otro.

c. Un suceso es inmediatamente posterior a otro.

d. Un suceso se produce cada vez que se produce otro.

e. Dos sucesos son progresivos y paralelos.

f. Hay un principio y un final de un suceso.

g. Dos sucesos son contemporáneos.

h. Un suceso es una etapa ya alcanzada.

1. **Después de** ver la película me acuesto.
2. Me voy a ir a casa **antes de que** empiece a llover.
3. Dejé el chino **al cabo de** tres meses de estudiarlo.
4. **Una vez que** todo se solucione haremos una fiesta.
5. **Siempre que** hace sol se van a pasear.
6. **En cuanto** sepamos la noticia te llamaremos.
7. **Tan pronto como** nazca el niño, avisadnos.
8. Ve poniendo la mesa, **mientras tanto** preparo la ensalada.
9. **Apenas** tenga un poco de dinero se irá de viaje.
10. No te sobresaltes **cada vez que** suene el teléfono.
11. **Una vez** pasado el disgusto se reconciliarán.
12. **Así que** llegó a casa se quitó la ropa mojada.
13. **Conforme** vas aprendiendo el tema, haz los ejercicios.
14. **Todas las veces que** nos vemos me pregunta lo mismo.
15. Por favor, venme a buscar **nada más** salir del trabajo.
16. **A las dos horas** de empezar la fiesta, toda la gente se fue.
17. **Según** pasen los días irá usted mejorando.
18. **Mientras que** no nos lo cuente, no podemos saberlo.
19. **Una vez que** lleguen al semáforo giren a la derecha.
20. **A medida que** pasa el tiempo se entienden mejor.
21. Yo estoy ahorrando **mientras** tú estás gastando.
22. No se puede hacer una cosa **al mismo tiempo que** se hace otra.
23. Esta película es un rollo **desde que** empieza **hasta que** acaba.

7. Lee de nuevo el texto con tu compañero/a y marca las expresiones temporales, clasificándolas de acuerdo con su significado.

8. Normalmente, una persona necesita una hora para hacer una paella. Imagínate que sólo dispones de media hora y de la ayuda de tu compañero/a. Decide con él/ella qué tareas realiza cada uno/a, y en qué orden, para cumplir ese objetivo.

Ej.: Mientras yo pongo el marisco a cocer, tú vas cortando la cebolla.

Para ayudarte
Ir + gerundio

9. ¿Existe en tu país una comida similar o conoces la receta de algún plato de tu país? Explica a tus compañeros/as cómo se prepara.

>GRAMÁTICA ACTIVA

10. Clasifica las siguientes expresiones de tiempo según se refieran al presente o al futuro.

1. Cada vez que la profesora propone un trabajo en parejas, Silvia y yo nos juntamos, porque lo pasamos muy bien.
2. Creo que, hasta que no hagamos los ejercicios, no voy a comprender este tema.
3. Siempre que empiezo un curso me gusta saber lo que voy a aprender.
4. Cuando tenga un nivel más avanzado, creo que haré unas prácticas en una empresa mexicana o argentina.
5. Me pongo nerviosa cuando no sé una palabra.
6. A medida que vamos diciendo palabras, el profesor las va anotando en la pizarra.
7. Según vayamos avanzando, iremos ampliando conocimientos sobre la cultura hispana.

PRESENTE	FUTURO
....	....
....	....

11. ¿Te has fijado en que estas expresiones temporales a veces van con indicativo y otras con subjuntivo? Completa la frase marcando la respuesta adecuada.

Ejemplo: Me pongo nerviosa cuando no sé una palabra.
Van con indicativo, cuando...
- [ ] se refieren a acciones habituales, a costumbres.
- [ ] se refieren a acciones presentes, actuales.
- [ ] se refieren a acciones futuras.

Ejemplo: Cuando tenga un nivel más avanzado, creo que haré unas prácticas en una empresa.
Van con subjuntivo, por tanto, cuando...
- [ ] se refieren a acciones habituales, a costumbres.
- [ ] se refieren a acciones presentes, actuales.
- [ ] se refieren a acciones futuras.

12. Haz una entrevista a tu compañero/a para saber cómo reacciona o qué hace, cómo se siente, qué actitud adopta en determinadas situaciones.

En una discusión.
Ante un regalo.
Ante una declaración de amor de alguien que no le gusta.
Ante un problema.
Ante una crítica.
En la situación de tener que hablar en público.
Ante una injusticia.
En un examen.
En la situación de tener que decir algo desagradable a alguien.
Si le miran insistentemente.

Para ayudarte

En cuanto
Tan pronto como
Así que
Apenas
Siempre que
Cada vez que
A medida que
Según

Ejemplo: Y tú, ¿qué haces cuando alguien te critica algo?
Siempre que me critican, me encierro en mí mismo y me hundo.

13. Imagínate que, por algún motivo, quieres cambiar tus reacciones en las situaciones sobre las que has hablado con tu compañero/a. Explícale cómo vas a actuar a partir de ahora.

Ejemplo: A partir de ahora, cada vez que me critiquen voy a escuchar más atentamente y voy a racionalizar la crítica.

14. Hay otras expresiones, como "antes de (que)" o "después de (que)", que van con infinitivo o con el verbo en subjuntivo. Observa estos ejemplos y marca la respuesta adecuada.

---

1. Yo, después de ir a clase, repaso todo lo que hemos hecho.
2. Lo siento, pero me tengo que marchar antes de que termine la conferencia... es que tengo un compromiso.
3. Nos iremos de viaje después de que Mar termine de escribir el libro.
4. Antes de salir llama a Cristóbal, por favor.

Van con infinitivo *(por ejemplo: Yo, después de ir a clase, repaso todo lo que hemos hecho)*, cuando...
    ☐ las acciones de los dos verbos las realiza la misma persona, el mismo sujeto.
    ☐ las acciones de los dos verbos las realizan personas o sujetos diferentes.

Van con subjuntivo *(por ejemplo: Nos iremos de viaje después de que Mar termine de escribir el libro)*, por tanto, cuando...
    ☐ las acciones de los dos verbos las realiza la misma persona, el mismo sujeto.
    ☐ las acciones de los dos verbos las realizan personas o sujetos diferentes.

---

15. La clase se divide en grupos de cuatro. Cada uno/a hace una lista de sus hábitos cotidianos. Vamos a imaginar que cada grupo tiene que convivir durante un periodo.

¿Cómo se puede organizar el día?

....
....
....
....
....
....
....

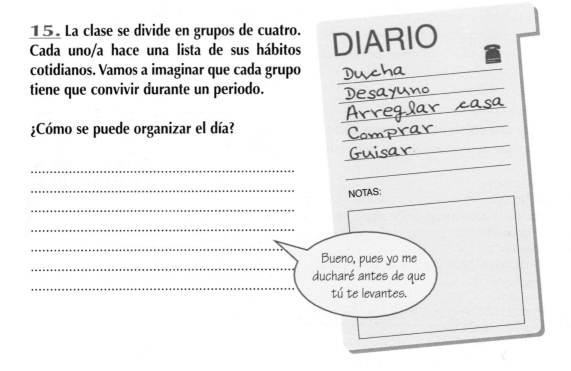

DIARIO

Ducha
Desayuno
Arreglar casa
Comprar
Guisar

NOTAS:

Bueno, pues yo me ducharé antes de que tú te levantes.

práctica global 1

1. Vamos a trabajar con las tareas domésticas. Piensa en qué hay que hacer para tener la casa bien.

fregar los cacharros

tareas domésticas

2. Relaciona los **objetos** con las **tareas**.

La ropa	Planchar
La escoba	Quitar
Las cosas	Recoger
La casa	Fregar
Los cacharros	Pasar
La aspiradora	Barrer
El polvo	Hacer
La cama	Ordenar

3. Mira estas imágenes. ¿Qué ha hecho esta mujer para dejar la casa como está en la segunda imagen?

4. Acabas de recibir una llamada telefónica en la que te anuncian que vas a tener una visita de alguien conocido. Quieres que tenga buena impresión de ti y de tu casa y la tienes como en la primera imagen. Con tu compañero/a distribuye qué hay que hacer para que la casa esté perfecta.

Ejemplo: Yo voy recogiendo y ordenando los discos y tú vete poniendo la ropa en la lavadora y...

1. ¿Conoces alguna de estas empresas? ¿Sabes a qué se dedican?

Café de Colombia

2. Las empresas nacen y se desarrollan de maneras diferentes: tienen una historia con nombres propios, fechas, lugares, ideas, proyectos y cultura.
Algunas de ellas nacen de una idea en la mente de una persona, y en un entorno muy reducido, para luego convertirse en grandes empresas de proyección internacional.

Vamos a conocer Freixenet, una empresa española (de Cataluña), y sus principios. Lee este texto.

Al catalán José Ferrer Sala le gusta decir que él es, sobre todo, un payés, un hombre de campo. Él es quien ha conseguido elevar al podio internacional del cava a Freixenet, empresa creada por su bisabuelo en 1861. Se emociona cuando habla de su padre, cuyo espíritu empresarial asumió. A sus 74 años conserva una energía y una clarividencia proverbiales, pero finalmente decidió ceder los mandos de la compañía a la tercera generación familiar. Ahora es presidente de honor y está convencido de que "para estar siempre a la última sólo hace falta amar los viajes, ver el mundo con los ojos abiertos y luego llegar aquí y superarlo". Y no duda: "Si tuviera que elegir volvería a dedicarme a lo mismo: la uva, la viña y el cava".

DATOS:
1.271 empleados/as
Cifra de negocios: 55.346 millones de pesetas
Exportaciones anuales (en número de botellas): 86.700.000

¿Quién es José Ferrer Sala?
¿A qué se dedica la empresa Freixenet?
¿Qué tipo de empresa es?
¿Cuál es la mentalidad de esta empresa?

3. Ahora escucha la historia de esta misma empresa, toma notas y completa el esquema.

Orígenes: ....

Momentos importantes de la empresa:

1860 ....
1920-1930 ....
1935 ....
1941 ....
1956 ....
1974 ....

Situación actual: ....

4. Observa estas expresiones, lee la transcripción del texto en pág. 156 y localízalas.

Hablar de la actualidad	Hoy por hoy
	Hoy en día
	Hoy
	En la actualidad
	Actualmente
Hablar de un momento pasado	Antaño
	Entonces
	En ese (mismo) momento
	En aquellos momentos
Hablar de la cantidad de tiempo que ha transcurrido	Al/a la... + (cantidad de tiempo)
	Al cabo de... + (tiempo)
	(tiempo) después
Relacionar una acción con un momento o con otra acción	Después de...
	Antes de...
	Más tarde
	Hacía ya...
	... (tiempo) antes
	... (tiempo) después
Situar de manera aproximada un momento	Alrededor de...
	Hacia...
	Sobre...
	Allá por...
	Como hacia/en...
	A principios de...
Hablar de las distintas etapas del desarrollo temporal de algo	Al comienzo/principio/mitad/final...
	En un primer/segundo...
	En el último momento...

5. Utiliza las expresiones para hablar de un momento de una manera aproximada y contesta a las preguntas.

¿Cuándo decidiste lo que querías hacer o estudiar?
¿Cuándo tuviste tu primera entrevista de trabajo?
¿Cuándo pensaste por primera vez en aprender español?
¿Qué aficiones tienes y cuándo las empezaste?

6. Relaciona los momentos de estas historias y transforma las frases.

1. La empresa se fundó en 1965. En 1972 tuvo una crisis económica y se asoció con una compañía de la competencia. En 1975 tuvo enormes beneficios y decidió su ampliación. En 1982 tuvo otra crisis y decidió abrirse al mercado exterior.

....
....
....

2. Empecé a estudiar en 1974. En 1976 me cambié de especialidad. En 1981 terminé la carrera. En 1980 empecé a trabajar. En 1982 encontré trabajo en otra empresa. En 1985 hubo una regularización de empleo y me quedé sin trabajo. En 1987 encontré mi puesto de trabajo actual.

....
....
....

3. La reunión empezó a las 16:30 de la tarde. A las 14:30 el Departamento de Contabilidad terminó el informe. Alberto se incorporó a la reunión a las 17:45. La reunión terminó a las 20:30. A las 18:00 hicieron una pausa.

....
....
....

4. El congreso empezó el 25 de abril. El 24 de abril todavía no estaban terminadas las carpetas. Las ponencias y conferencias se celebraron el 25 y 26 de abril. Los talleres empezaron el 27 de abril.

....
....
....

Ejemplo: 1. La empresa se fundó en 1965. Al cabo de siete años, tuvo una crisis económica...

GRAMÁTICA ACTIVA

7. Lee estas frases y organízalas según el esquema.

1. Me gustaría que, cuando volviera a pasar algo así, me informarais y no ocurriera otra vez esto.

2. Quedamos en que, tan pronto como recibieras el documento, vendrías a verme. ¿Qué ha pasado, es que no te ha llegado?

3. Tan pronto como terminó la reunión, me fui directo al teléfono, llamé a Ricardo y le conté todo lo que había pasado.

4. Me dijiste que, hasta que no tomáramos una decisión, no hablarías con el cliente. ¿Por qué te has adelantado?

5. Cuando estaba en Chipsoft, aprendí a manejar el entorno Windows.

6. No sé de qué te quejas, porque en la época en que tú estuviste formándote en los EEUU, yo asumí todo tu trabajo.

7. Podríamos tener un trabajo en el que, cuando las cosas fueran mal, pudiéramos rebajar nuestro salario, pero, en cambio, cuando las cosas fueran bien, pudiéramos entre todos repartir beneficios. ¿No te parece?

8. Ayer, en la reunión, mientras los demás hablaban, yo no pude dejar de pensar en la cantidad de cosas que tenía que hacer.

9. Me prometiste que, en cuanto lo tuvieras, me lo darías. Ya va siendo hora, ¿no?

10. Para mí lo lógico sería que, así que nos dieran la respuesta afirmativa al presupuesto, creáramos una comisión encargada del asunto.

11. En la época en la que me preparaba para las oposiciones me planteé cambiar el rumbo de mi vida.

12. Cuando me enteré de la noticia, me quedé tan atónita que no supe qué decir.

1. Hablar del momento, la época en la que ocurrió un acontecimiento.	
2. Hablar de un acontecimiento en relación con otro.	
3. Hablar de un momento o época hipotéticos.	
4. Referir un momento futuro que alguien expresó en el pasado.	

8. Escribe los tiempos verbales que se utilizan para definir los momentos del ejercicio anterior.

1. ....

2. ....

3. ....

4. ....

Relaciona

9. Relaciona las frases. Después pon el infinitivo en el tiempo adecuado.

a. Cuando (TENER, yo) veinte años

b. En la época en la que (IR, yo) a la Universidad Politécnica

c. Mientras (ESTAR, yo) en la universidad

d. Tan pronto como (RECIBIR, yo) aquella llamada,

e. En cuanto (REGRESAR, yo) de mi periodo de formación en EEUU

f. Desde que (SABER, yo) que iban a cambiar toda la plantilla de esa sucursal,

g. Sería estupendo que, siempre que (LLEGAR) algo tan urgente como esto,

h. Me parecería bien que, mientras no (HABER) una directriz previa,

i. Me confirmó que, mientras (DURAR) aquel proceso de fusión tan complicado,

j. El nuevo director admitió que, hasta que no (TOMAR, él) conciencia de todas sus responsabilidades,

k. Llegó a sugerir que, en cuanto (ENCONTRAR) otro puesto,

1. me lo dijerais de inmediato y no esperarais hasta el final.

2. supe que me iban a destinar a ella.

3. se iría de la empresa y nos dejaría plantados.

4. decidí mi futuro profesional.

5. actuaras así. Pero no es el caso, ¿por qué lo has hecho?

6. empecé las investigaciones que todavía ahora continúo.

7. no podría hacerse cargo de modo totalmente satisfactorio de las riendas del departamento.

8. encontré un puesto de trabajo acorde a mis nuevas calificaciones.

9. avisé al responsable del departamento para que tomara cartas en el asunto.

10. la vida era fácil, pero después...

11. todos los presupuestos y autorizaciones de gastos estaban congelados.

10. ¿En qué momento crees que se podría solucionar cada uno de estos problemas?

Desaparecer el hambre en el mundo.
Encontrar una vacuna contra el SIDA.
Erradicar la malaria.
Colonizar el espacio.
Curar el cáncer.
Llegar a la igualdad completa entre hombres y mujeres.
Acabar con la destrucción de la naturaleza.

Ejemplo: Yo creo que en cuanto todos tomáramos conciencia del reparto de bienes, desaparecería el hambre en el mundo.

Práctica global 2

1. Aquí tienes un extracto de la página *web* de Camper, una empresa española con proyección internacional.

Érase una vez una isla. Érase una vez Mallorca. Un año: 1877. Y ganas. Muchas ganas de trabajar. Y de soñar. Y de contagiar una forma de ser. También había un mar. Él es testigo de nuestra historia. Una historia que empieza aquí.
La leyenda empieza con un pionero: Antonio Fluxá. Artesano. Zapatero. Mallorquín. Artesano. Innovador. Inquieto. Artesano. Entusiasta. Emprendedor. Abierto. Artesano. Auténtico. Austero. Líder. Creador. Humano. Artesano.
Su sueño. Un viaje a Inglaterra para conocer nuevos métodos en la fabricación del calzado. A la vuelta no vendrá solo. Una máquina de cosido Goodyear será su compañera de viaje. Con ella montará la primera fábrica mecanizada de Mallorca. El sueño ya es realidad.
Antonio Fluxá reúne a un grupo de artesanos que se convertirán en el germen de una saga de fabricantes de calzado, que llegará a poblar la isla con dos centenares de fábricas. Personas adelantadas a su tiempo. Preocupadas y comprometidas a la vez por la innovación de la industria y por las cosas bien hechas.
El hijo de Antonio Fluxá, Lorenzo, nacido ya entre zapatos, hereda de él el entusiasmo y el gusto por este objeto emparejado que nos une a la tierra, consolidando la vocación industrial de la actividad familiar y mimando a la vez sus raíces artesanales.
Y con él, Lorenzo Fluxá, hijo de Lorenzo, que en 1975 crea Camper. Una idea fruto de los grandes cambios de valores, de estilo de vida, de relaciones sociales de los felices años 60.
En 1982 Camper abre su primera tienda en Barcelona. Un nuevo concepto de tienda. La primera franquicia de España se instala en esta ciudad no por casualidad. Barcelona significa diseño, creatividad, vocación europea, industria, Gaudí, Mediterráneo.
1992: Juegos Olímpicos de Barcelona, Exposición Universal de Sevilla. Camper se da un paseo por Europa y abre sus primeras tiendas en Londres, Milán y París. Es el sueño, que sigue ahí. El deseo de ir más allá. De contagiar al mundo toda una forma de pensar.
Hoy la singladura internacional de Camper continúa.
En el futuro, que es mañana, tus Camper se parecerán mucho a ti. Seas quien seas. Porque estamos trabajando duro para seguir sorprendiéndote. Para adaptarnos a tus pies y a tu mente. Para caminar contigo. Cada vez más reciclables, más respetuosos, más comprometidos.

(www.camper.es)

2. ¿Puedes dar algunos datos fundamentales, o hacer un retrato robot sobre la empresa a partir de este texto? Comenta el texto con tus compañeros/as y, en parejas, crea la ficha de la empresa. Después las parejas comparan sus resultados, los comentan y los completan:

Su nombre.
El nombre de su fundador.
La estrategia de comercialización de sus productos.
Sus planes de futuro.
Su imagen.

Su año de fundación.
Sus productos y las características de los mismos.
Su expansión.
Su público meta.
Su cultura de empresa y su filosofía.

3. ¿Qué sucede entre 1877 y 1992? ¿Puedes establecer una cronología (por años) de la historia de la empresa?

1877 – Fundación de la empresa.
....
....

4. Escribe, junto con tu compañero/a, la historia de **CAMPER** de un modo convencional, es decir, narrando toda la información que has reunido en pasado y describiendo los momentos y las etapas.

1

1. Lee estos diálogos.

1. ¿Qué tal está el arroz?
Está bueno, pero, **la verdad**, está un poco pasado.
¿Sí? Bueno, no sé, un poquito quizá.

2. ¿Te vienes al cine?
No, mira, es que tengo mucho que estudiar.
Venga, hombre, si son dos horas, te va a venir bien.
Que no, **de verdad**, que no puedo.

3. ¿Qué tal está el arroz?
Francamente, está un poco pasado.
Vaya, lo siento. Es que me han llamado por teléfono y como estaba al fuego...

2. Relaciona.

a. De verdad

1. Para presentar una información o una opinión personal que pensamos que puede molestar. Con esta expresión señalamos que estamos diciéndola porque queremos ser sinceros/as. El/la hablante no se muestra respetuoso/a hacia la otra persona, y frecuentemente puede aparecer como arrogante.

b. La verdad (es que)

2. Se usa para confirmar algo que acabamos de decir, insistiendo en que estamos siendo sinceros/as.

c. Francamente

3. Para presentar una información o una opinión personal que pensamos que puede molestar. Con esta expresión señalamos que estamos diciéndola porque queremos ser sinceros/as. El/la hablante se muestra respetuoso/a hacia la otra persona.

3. Completa.

1. ◆ Mira, me acabo de comprar estos zapatos. ¿Te gustan?
   ● .... , no.
   ◆ Hija, ¡qué antipática eres!

2. ◆ ¿Seguro que no quieres más postre?
   ● No, ... que no.

3. ◆ No tienes muchas ganas de que sigamos hablando, ¿no?
   ● Pues........................... es que no. Perdona, es que tengo mucho sueño.

4. ◆ Pero ¿qué te pasa? ¿Estás enfadado conmigo?
   ● .... , sí. Es que no sé por qué estás tan seca conmigo.

5. ◆ Que no. Ya te he dicho que no. .... que no puedo ir contigo de compras.

6. ◆ Estoy muy disgustada contigo.
   ● Pero, ¿por qué?
   ◆ ...., no me ha gustado nada lo que me has dicho antes.

7. ◆ Sé que no te va a gustar lo que te voy a decir, pero .... es que no tengo muchas ganas de ir contigo de vacaciones.

8. ◆ Como me vuelva a decir una cosa así, me levanto y me voy.
   ● Hombre, no seas exagerado.
   ◆ Que sí. Que .... que me levanto y me voy.

2

1. A veces, la gente dice unas cosas... Observa el ejemplo para ver cómo se puede rechazar algo que otra persona ha dicho.

Ejemplo:
> *El español es muy difícil.*
> *¡Qué va a ser difícil! Lo que pasa es que, para aprender un idioma, hace falta tiempo.*

2. Alguien te hace estas afirmaciones. Recházalas.

1. La Tierra es cuadrada.
....

2. Son las cuatro de la madrugada.
....

3. Trabajas mucho/poco.
....

4. Todos/as los/as españoles/as duermen la siesta.
....

5. Todos/as los/as españoles/as saben bailar flamenco.
....

3. Escribe cinco frases que contengan estereotipos sobre las personas del país de tu compañero/a (los italianos/brasileños/finlandeses son/hacen/tienen..., etc). Díselas y seguro que él/ella las rechazará.

4. A veces no admitimos algo que, en nuestra opinión, es imposible, porque falta el modo, el lugar, el momento, etc. Escucha y completa el esquema.

1.		
2.		
3. .... **+ ir a**		**+ INFINITIVO**
4.		
5.		

TAREA FINAL

1. Una posibilidad para continuar tu aprendizaje de español es participar en las tareas de una organización humanitaria que actúe en países de habla hispana. ¿En qué área te interesaría participar?

- ☐ Asistencia médica.
- ☐ Asistencia educativa.
- ☐ Proyectos de autogestión (cooperativas, talleres).
- ☐ Proyectos de investigación.
- ☐ Recuperación de pueblos abandonados.
- ☐ Asistencia domiciliaria a enfermos y ancianos.
- ☐ Conservación de fauna y flora.
- ☐ Ayuda a pueblos indígenas.
- ☐ Observación de los derechos humanos.
- ☐ Otros: ....

2. Aquí tienes las páginas *web* de algunas organizaciones. ¿A qué crees que se dedica cada una?, ¿cuál crees que te podría ofrecer una actividad más interesante?

- Ayuda en Acción. www.ayudaenaccion.com
- Médicos Mundi. www.medicus-mundi.org.
- Médicos sin Fronteras. www.msf.es
- Acción Contra el Hambre. www.accioncontraelhambre.es
- Amnistía Internacional. www.a-i.es
- Arquitectos sin fronteras. www.asfes.org
- Casa alianza. www.casa-alianza.org
- Fundación Pro Naturaleza Colombiana. www.redcolombiana.com
- Intermón. www.intermon.org
- Manos Unidas. www.manosunidas.org
- Psicólog@s en acción. www.pea.usal.es
- Atades. www.atades.es
- Grupo para el estudio y conservación de los espacios naturales. www.gecen.org
- Pangea. www.pangea.org

3. Con un/-a compañero/a de clase, elige una de estas organizaciones e infórmate de las siguientes cuestiones:

> 1. ¿Cuáles son los objetivos de esta organización?
> 2. ¿Cuáles son sus orígenes?, ¿cómo se creó?
> 3. ¿Cuáles son los proyectos más importantes que ha llevado a cabo hasta ahora?
> 4. ¿De qué forma podrías tú colaborar con ellos?, ¿en qué área de actividad?, ¿en qué ámbito geográfico?
> 5. ¿Qué tendrías que hacer para que te admitiesen como colaborador/-a?
> 6. ¿Crees que esta experiencia te ayudaría a mejorar tu español?

4. Cada pareja presenta a la clase los resultados de su investigación.

órbita 3
RUTA LITERARIA
taller de letras

<u>1.</u> ¿Sabes qué es el congrio? Busca la palabra en tu diccionario y anota todo lo que sepas.

<u>2.</u> Ahora lee esta receta de cocina con congrio. ¿Puedes indicar qué ingredientes la componen?

Oda al caldillo del congrio

En el mar
tormentoso
de Chile
vive el rosado congrio,
gigante águila
de nevada carne.
Y en las ollas
chilenas,
en la costa,
nació el caldillo
grávido y suculento,
provechoso.
Lleven a la cocina
el congrio desollado,
su piel manchada cede
como un guante
y al descubierto queda
entonces
el racimo de mar,
el congrio tierno
reluce
ya desnudo,
preparado
para nuestro apetito.

Ahora
recoges
ajos,
acaricia primero
ese marfil
precioso,
huele
su fragancia iracunda,
entonces
deja el ajo picado
caer con la cebolla
y el tomate
hasta que la cebolla
tenga color de oro.

Mientras tanto
se cuecen
con el vapor
los regios
camarones marinos
y cuando ya llegaron
a su punto,
cuando cuajó el sabor
en una salsa
formada por el jugo
del océano
y por el agua clara
que desprendió la luz de la cebolla,
entonces
que entre el congrio
y se sumerja en gloria,
que en la olla
se aceite,
se contraiga y se impregne.

Ya sólo es necesario
dejar en el manjar
caer la crema
como una rosa espesa,
y al fuego
lentamente
entregar el tesoro
hasta que en el caldillo
se calienten
las esencias de Chile,
y a la mesa
lleguen recién casados
los sabores
del mar y de la tierra
para que en ese plato
tú conozcas el cielo.

¿Qué calificativos utiliza el autor chileno Pablo Neruda para cada ingrediente?, ¿qué te dicen sobre las características de los ingredientes?

....

....

....

3. **Ahora piensa en los pasos que hay que dar para hacer esta comida y reescribe la receta como la presentan normalmente los libros de cocina, los/as cocineros/as.**

Para ayudarte

Primero
Luego
Después
Antes de…
Mientras tanto…

Pablo Neruda

Pablo Neruda (1904-1973, Chile) es el seudónimo de Neftalí Reyes. Premio Nobel en 1971, es un poeta de fama internacional. Los temas más frecuentes de su poesía son el amor y la crítica social y política que genera su compromiso de vida. Ejerció funciones diplomáticas. Sus obras más conocidas son: *Veinte poemas de amor y una canción desesperada* (1924), *Residencia en la Tierra* (1925-1935), *Canto General* (1950), *Los versos del Capitán* (1952), *Odas Elementales* (1954) y, ya desde su retiro de Isla Negra, *Memorial de Isla Negra* (1964). Sus memorias, *Confieso que he vivido*, se publicaron en 1974, después de su muerte.

4. **Piensa en un plato de tu país, tal vez su plato más típico o más popular, y haz una lista de los ingredientes anotando algunos calificativos. Imagina cómo es la receta.**

5. **Ahora vamos a escribir la receta siguiendo el poema de Neruda. Transforma los calificativos de los ingredientes exagerándolos o comparándolos con cosas más poéticas.**

6. **Escribe el poema como si fuera una gran epopeya:** *lávense …, cuézanse…,* **etc.**

7. **Lee ahora este texto de la obra** *Afrodita,* **de la escritora Isabel Allende -también chilena, como Neruda- y define qué es el curanto.**

El curanto proviene de la Polinesia. Lo comí por primera vez en la isla de Pascua, donde al anuncio del curanto acuden a la playa todos los habitantes de la isla. El evento comienza a media mañana, con una fogata para calentar grandes piedras. Los hombres más jóvenes cavan un hoyo de un par de metros de largo por uno de ancho, amontonando a un lado la tierra extraída; entretanto las mujeres preparan los ingredientes, los niños lavan hojas de banano.

Sobre los mesones de madera se apilan los alimentos: un cordero entero trozado y en adobo, salchichas y chuletas de cerdo, pilas de pollos marinados en limón y hierbas, pescados de todas clases, langostas apenas aturdidas, mariscos, papas y maíz.

Cuando calculan que las piedras están bien calientes, a eso de media tarde, las echan al fondo del hoyo, ponen enseguida unas tinajas de barro donde se juntarán los caldos y jugos del cocimiento, y van apilando encima los ingredientes del portentoso curanto.

Por último cubren el guiso con paños limpios mojados y encima varias capas de hojas de banano, que sobresalen del orificio como una manta. Sobre las hojas apalean la tierra que antes excavaron y luego se sientan a esperar que ese paciente calor obre el milagro poco a poco.

A la puesta del sol quitan la tierra con palas y las muchachas levantan cuidadosamente las hojas de banano. Aparecen los paños blancos sin una partícula de tierra y al destaparlos una bocanada inmensa de un olor maravilloso recorre la playa. Y así van emergiendo por capas los tesoros de aquel hoyo, empezando por los productos del mar, siguiendo por las carnes y vegetales y terminando, por último, en el caldo de las marmitas de barro, que se sirve hirviendo en vasitos de cartón. Quien ha probado ese caldo, esencia concentrada de todos los sabores de la tierra y el mar, no podrá conformarse nunca más con otros afrodisíacos.

El curanto es: ....
....
....

Isabel Allende

8. Ordena estas frases de acuerdo a los pasos que hay que dar y escribe las frases.

☐ Calentar piedras.
....

☐ Echar agua.
....

☐ Hacer un hoyo.
....

☐ Limpiar hojas de banano.
....

☐ Meter las piedras en el hoyo.
....

☐ Poner los ingredientes en las marmitas.
....

☐ Preparar los ingredientes.
....

☐ Sacar los ingredientes.
....

☐ Tapar con paños y tierra.
....

☐ Encender una fogata.
....

Primero se enciende una fogata para calentar las piedras. Mientras se calientan las piedras...

¿Conoces otra receta exótica o tan original como esta?

Isabel Allende (1943) es, como Neruda, una escritora chilena, aunque nació en Lima (Perú). Su padre, hermano del que sería Presidente de Chile, Salvador Allende, estaba con su familia en Perú, al servicio de un diplomático chileno. Trabajó como periodista. Se exilió de Chile en 1975 -ha vivido en Venezuela, Estados Unidos y España- y en 1982 se consagró como novelista al publicar *La casa de los espíritus,* que, como otras obras suyas, por ejemplo *Eva Luna* (1989), se inscribe en la corriente del realismo mágico hispanoamericano. De tema político es *De amor y de sombra* (1984), y autobiográfica *Paula* (1995), sobre la enfermedad y muerte de su hija. *Afrodita* (1998) es una narración novelada sobre recetas afrodisíacas. *Hija de la Fortuna* (1999), de corte histórico, presenta a una heroína chilena en la California de la fiebre del oro. También en California se desarrolla *Retrato en sepia* (2000).

RUTA LITERARIA
paisaje: glaciar

1. ¿Qué te sugiere la palabra "glaciar"?

glaciar

2. Entre las maravillas de la Patagonia, se encuentran los glaciares. ¿Podrías situar esta región en el mapa de la pág. 6?

Hielo, agua que ha olvidado su naturaleza líquida, inmóvil y en perpetua transformación, paisaje insólito y sobrecogedor, desprovisto de vida y, al mismo tiempo, vida misma, agua. Se funden sus reflejos entre los matices más sutiles del blanco, del no color, hasta mostrar todos los colores, los más hermosos, los más puros. Un silencio ensordecedor, unos derrumbamientos de inmensa soledad rodean esa masa de hielo, esa catedral de puntas, columnas, arcos y lenguas que nos deja inmóviles, llenos de asombro y de emoción.
Los glaciares de la Patagonia le hablan al silencio en español.

El glaciar Perito Moreno, en la provincia argentina de Santa Cruz, le debe su nombre a un perito argentino, Francisco Pascasio Moreno (1852 - 1919), que fue el primer director del Museo de Ciencias Naturales de la Plata. El gobierno lo contrató a fines de siglo para investigar la delimitación entre Argentina y Chile en aquellas regiones desconocidas.

3. Lee este extracto del artículo de Raimon Portell "La montaña patagónica. Escenarios de leyenda".

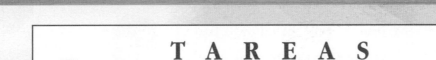

Cruzamos bosques de árboles torturados, comidos por líquenes y barbas de capuchino. Aparece un retazo de lago. Adivino recortes del glaciar, un iceberg en el Brazo Rico, la punta de un arco iris, la nube permanente. Y a la salida de una curva, chocamos con la pared imponente del Perito Moreno. Ante nosotros se levanta una pantalla de cristal de más de cincuenta metros, con un frente de casi cinco kilómetros que se pierde al sur por el Brazo Rico, y al norte, sobre el Lago Argentino.

Pero no son más que las sobras. Como el Upsala, el Viedma y tantos glaciares patagónicos, apenas si puede considerarse el goteo que rebasa los bordes de una inmensa tarta. Arriba, en el corazón de los Andes, a lo largo de más de cuatrocientos kilómetros, se ocultan dos gigantescos campos de hielo, el Hielo Sur y el Hielo Norte. Constituyen la más extensa concentración de hielo fuera de los polos, con un grosor que alcanza los centenares de metros. Y las tormentas del Pacífico añaden, una tras otra, nuevas cucharadas de nieve, más miel sobre la tarta. El hielo se desplaza lentamente, rebasa los bordes y cae, se precipita al mar o en un lago.

Sobre el lago Argentino, centenares de agujas aguantan en un equilibrio precario, a punto de caer y volver al estado líquido que perdieron durante siglos. En la parte inferior, el hielo es marino y esmeralda, profundo y denso como las aguas abisales. Arriba, los pinchos y chimeneas cambian con la luz y pasan del blanco puro al azul eléctrico, al rosa y corren por todos los verdes. En eterna descomposición, se escurre grava blanca que explota como metralla contra las placas inferiores. No puedo dejar de mirarlo. Sé que, si me giro, me traicionará con un espectáculo aún más sobrecogedor.

(...) Ya con la luz de ocaso, explota una columna de cuatro pisos de altura, esbelta, con fuste de copa. Desaparece en las aguas. Vuelve a salir, y a hundirse, y escampa por el lago olas concéntricas mientras aún repiquetea la metralla que ha arrasado.

Raimon Portell es filólogo y colaborador habitual de revistas de viajes. Ha publicado el libro *El sueño del jaguar* y dirige la colección Tròpics, dedicada a la literatura de viajes.
   Altaïr. Número 5, segunda época, abril 2000.

T A R E A S

1. ¿Cómo describirías el paisaje que recorre el autor? ¿Qué emociones transmite el texto?

2. Desde 1935 el espectáculo del rompimiento del glaciar se repitió sin falta cada cuatro o cinco años. Sin embargo, los cambios climáticos también están afectando al crecimiento del glaciar. Seguramente conoces los cambios climáticos a los que nos referimos: ¿a qué se deben?, ¿por qué el glaciar no se rompe como antes?

 1. Piensa en cuatro momentos positivos e importantes de tu vida que te gustaría comentar con tus compañeros/as. Toma cuatro papeles y en cada uno haz una representación de cada momento. Puedes hacer un dibujo, poner un símbolo o un garabato con el que asocias esos momentos, escribir una palabra clave para ti, etc.

2. Ahora, con los papeles de todos/as vamos a hacer un gran tablero, como si fuera un parchís. Para ello habla con tus compañeros/as para poner los papeles en orden cronológico.

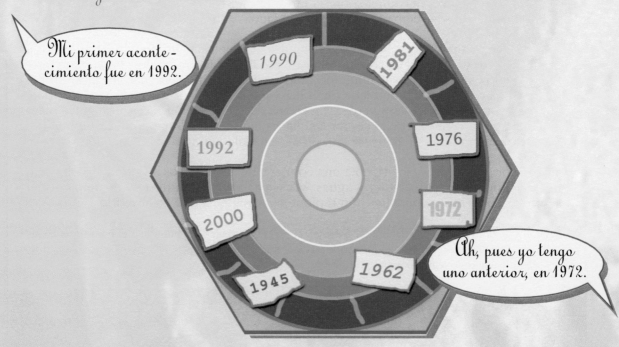

Mi primer acontecimiento fue en 1992.

1990

1981

1992

1976

1972

2000

1962

1945

Ah, pues yo tengo uno anterior, en 1972.

3. Ahora vamos a mover por el tablero a estos viajeros del tiempo. Por turnos, cada estudiante tira el dado y los mueve tantas casillas -papeles de acontecimientos- como número indique el dado. La persona autora de la casilla a la que ha llegado el viajero explica a la clase ese acontecimiento, respondiendo a las preguntas del/de la estudiante que mueve al viajero: ¿Qué pasó? ¿Cuáles eran los antecedentes? ¿Qué hacías mientras? ¿Que pasó después?

EN ESTA UNIDAD HAS APRENDIDO:

VOCABULARIO:

- Hablar de alimentos: ....

- Hablar de la manera de cocinarlos: ....

- Hablar de los orígenes de una empresa: ....

- Hablar de tareas domésticas: ....

GRAMÁTICA:

1. Cuándo se utiliza el subjuntivo en expresiones temporales como *cuando...*

2. Cuándo se utiliza el subjuntivo con expresiones temporales como *antes de* o *después de.*

3. La correspondencia temporal: - cuándo se utiliza el presente de subjuntivo.
                                             - cuándo se utiliza el perfecto de subjuntivo.
                                             - cuándo se utiliza el imperfecto de subjuntivo.

CÓMO SE DICE:

Recuerda expresiones para:

- Hablar de un suceso anterior: *Antes de.*

- Hablar de un suceso posterior: *En cuanto.*

- Hablar de un suceso que se produce cada vez que ocurre otro: *Siempre que.*

- Hablar de sucesos simultáneos: *Mientras.*

- Hablar de la actualidad: *Hoy por hoy.*

- Hablar de un momento pasado: *Entonces.*

- Hablar de la cantidad de tiempo transcurrido entre un momento y otro: *Al cabo de.*

En autonomía

 1. Un técnico de lavadoras un poco especial ha escrito estas instrucciones sobre cómo manejar una lavadora. Escucha a estas dos personas hablando de lo que tienen que hacer y toma notas.

1. ....
2. ....
3. ....
4. ....
5. ....
6. ....
7. ....
8. ....
9. ....
10. ....
11. ....

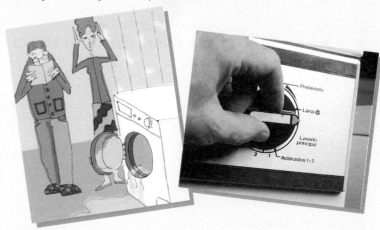

 2. Relaciona las frases según lo que has oído.

a. Meter la ropa
b. Pon el jabón en el compartimento
c. Es bueno abrir la lavadora
d. Termine el programa completo
e. Se haya sacado la ropa limpia
f. No se vuelva a cerrar
g. Cada lavado

1. hay que desenchufar la lavadora de la red.
2. hay que dejar la puerta de la lavadora abierta.
3. se lave otra vez.
4. hay que fregar bien la lavadora.
5. cerrar la puerta, seleccionar el programa que se desea y apretar el botón de puesta en marcha.
6. se inicie el programa de secado.
7. esté funcionando.

3. Une las frases anteriores utilizando una de estas expresiones y transfórmalas. Después, si quieres, vuelve a escuchar la cinta para comprobar los resultados.

mientras ....
hasta que no ....
antes de ....
antes de ....
después de que ....
cuando ....
antes de que ....

 4. ¿Puedes dar las instrucciones correctas a las personas de la audición anterior?

Para ayudarte

Meter la ropa en el tambor.	Poner el detergente.
Apretar el botón.	Seleccionar el programa.
Cerrar la puerta.	Echar suavizante.
Abrir la puerta.	Sacar la ropa.

5. Clasifica estas expresiones de acuerdo a los siguientes tres grupos.

	Después de...	Al mismo tiempo que...	Antes de...
Antes de			
Antes de que			
Después de			
Al cabo de			
A los...			
En cuanto			
Tan pronto como			
Así que			
Apenas			
Nada más			
Siempre que			
Cada vez que			
Mientras			
Mientras tanto			
Al mismo tiempo			
A medida que			
Según			
Conforme			

6. Transforma las frases según el modelo y escríbelas.

Ejemplo: Ana, se está haciendo de noche. Ven a casa antes.
       Ana, ven a casa antes de que se haga de noche.

1. Van a venir Begoña y Carlos. Nos vamos en ese momento.
....

2 José está arreglando el coche. Saldremos después.
....

3. Nati está preparando unos bocadillos. Nosotros hacemos las maletas mientras.
....

4. Asunción tiene que terminar ese informe. Empezaremos la fiesta después.
....

5. Me va a llamar Óscar y me lo va a explicar. Yo te llamo a ti justo después.
....

6. Demetrio va a salir a dar un paseo. Nosotros prepararemos la fiesta sorpresa mientras.
....

7. Emma está viendo una película muy buena. No quiere venir antes del final.
....

7. Observa estos aparatos. Elige uno de ellos y explica cómo funciona.

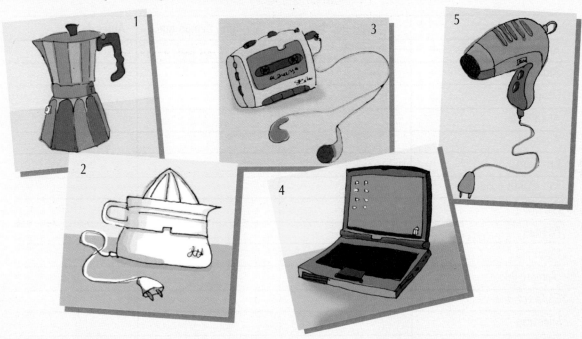

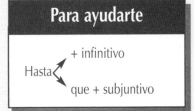

8. Piensa cuándo harás estas cosas. Fíjate en el ejemplo para dar tus respuestas.

Ejemplo: Dejar de trabajar.
No voy a dejar de trabajar hasta que no cumpla los 65 años.

- Dejar de estudiar español.
- Comprar otro/a...
- Volver a...

- Cambiar de opinión sobre...
- Mudarse a otro lugar.
- Intentar otra vez...

Para ayudarte

Hasta
+ infinitivo
que + subjuntivo

9. Imagina que un amigo tuyo te dejó su casa de la playa para que pasaras un fin de semana allí. También te dejó una serie de notas sobre qué debías hacer. Llegas a la casa y lees las notas, comentándole a tu compañero de viaje lo que te dijo tu amigo.

> No pongas la lavadora a funcionar al mismo tiempo que está puesto el friegaplatos. No hay suficiente potencia.

> Cierra la llave de paso del agua mientras no la necesites. El grifo está roto y pierde agua.

> Cierra la llave del gas siempre que no estés en la casa. Me da miedo que haya una fuga.

> Tan pronto como llegues, llama al vecino. Él se ocupa de vigilar que no pase nada. Tienes el teléfono en la mesa.

> Pon la llave en el felpudo cuando salgas. Nunca se sabe cuándo va Marisa, la mujer que limpia la casa.

> Evita poner la música muy alta mientras sea la hora de la siesta. El vecino trabaja de noche y es la hora que aprovecha para descansar.

> En cuanto llegues a casa, pon los plomos, están detrás de la puerta.

> No dejes nada en la terraza cuando salgas de casa. Es muy fácil llegar a ella y hay muchos ladronzuelos por la zona.

> Siempre que te surja cualquier cosa, díselo al portero, es muy amable.

Ejemplo: *Sí, es verdad, me dijo que en cuanto llegara a casa pusiera los plomos, que están detrás de la puerta.*

10. Piensa en cinco cosas que te gustaría hacer en tu vida. Piensa también cuándo te gustaría hacerlas.

Ejemplo: Me encantaría irme a vivir al extranjero por una temporada y hacer unas prácticas en una empresa en cuanto terminara mi carrera. Así adquiriría experiencia al mismo tiempo que aprendería otro idioma y conocería otra cultura.

1. ....
....
2. ....
....
3. ....
....
4. ....
....
5. ....
....

11. Aquí tienes un texto, se trata de unas instrucciones. La persona que lo ha escrito ha puesto los verbos en infinitivo y no ha utilizado los pronombres convenientes. Léelo y corrígelo.

Instrucciones para ahorrar

Para ahorrar dinero es importante que tenga en cuenta las siguientes instrucciones:

1. Pensar antes de comprar si necesita un producto, analizar el producto y tomar una decisión pausada. No precipitarse ni tomar decisiones a la ligera. Tomarse usted su tiempo.
2. Utilizar papel usado y no despreciarlo ni tirarlo. Además de ahorrar dinero, hará un bien ecológico.
3. Aprovechar las bolsas de la compra de los supermercados. Cuando en un supermercado le den a usted una bolsa, no tirar la bolsa a la basura, utilizar la bolsa para diferentes cosas.
4. Evitar dejar las luces de la casa encendidas si no hay nadie en las habitaciones. Tener las luces de la casa encendidas es un gasto inútil y costoso.
5. No ir en su vehículo propio a todas partes. Dejar el vehículo en casa e ir a pie, es bueno para su salud, para su economía y para su ciudad.

¿Podrías pensar ahora en otras instrucciones para ampliar la lista?

El deseo del Sol

El luminoso astro Sol es el centro de nuestro sistema planetario. Representa la imagen que la persona tiene de sí misma, el consciente, la voluntad y el destino último. Se le asocia con Febo o Helios, personificación de la luz del día.

Vas a aprender a...

Poner un ejemplo
- Digamos que...

Expresar deseos de difícil realización
- Quisiera que...
- Me haría muchísima ilusión que...
- Me gustaría que...

Expresar esperanzas remotas
- Ojalá hubiera...
- A ver si...

Conjurar cosas no deseadas
- No vaya a ser que...
- No sea que...

Hacer suposiciones
- Pongamos que...
- Pon que...
- Imaginemos que...

Expresar que un hecho no cambiará en ningún caso
- Sea quien sea...
- Quienquiera que...
- Digan lo que digan...

1. ¿Qué relacionas con la palabra "deseo"?

deseo

2. ¿Qué relación existe para ti entre estos pares de palabras? Trabaja con tu pareja.

Deseo y amor
Deseo y ambición
Deseo e idealismo
Deseo e inquietud
Deseo y realidad
Deseo y satisfacción

3. ¿Qué es lo contrario del deseo?

4. ¿Y tú, qué cosas deseas? ¿Podrías clasificarlas según diferentes criterios (cercanas/lejanas, posibles/imposibles, materiales/inmateriales, para ti/para los demás, etc.)? ¿Quieres que se cumplan? Coméntalo con tu compañero/a.

5. Aquí tienes un poema de deseos, deseos planetarios y solares del poeta ecuatoriano Jorge Carrera Andrade (1903-1979).

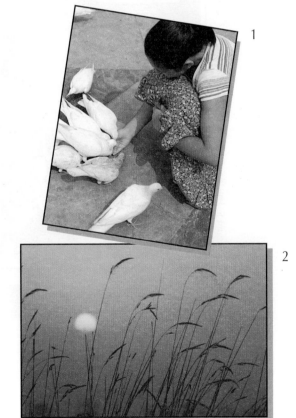

Vendrá un día más puro que los otros:
estallará la paz sobre la tierra
como un sol de cristal. Un fulgor nuevo
envolverá las cosas.
Los hombres cantarán en los caminos,
libres ya de la muerte solapada.
El trigo crecerá sobre los restos
de las armas destruidas
y nadie verterá
la sangre de su hermano.
El mundo será entonces de las fuentes
y las espigas, que impondrán su imperio
de abundancia y frescura sin fronteras.
Los ancianos tan sólo, en el domingo
de su vida apacible,
esperarán la muerte,
la muerte natural, fin de jornada,
paisaje más hermoso que el poniente.

6. ¿Qué desea el poeta y por qué lo escribe en futuro? ¿Crees que el poeta cree de verdad que esos deseos se van a cumplir? ¿Y tú, qué deseas para el mundo?

órbita 1
LENGUAJE COLOQUIAL

1. Mira estas viñetas y cuenta la historia con tus compañeros/as.

© Joaquín S. Lavado, QUINO, Bien Gracias, ¿y Vd.? Ed. Lumen, 1978.

2. Imagina qué es lo que están diciendo los protagonistas de esta historia en cada viñeta. Escribe el diálogo con tu compañero/a. Después compara con otras parejas la historia para poder escribir una versión definitiva.

Ejemplo: ¡Quién fuera rico y pudiera vivir en una casa grande!

Para ayudarte

Me haría ilusión..../que...
Desearía..../que...
¡Qué bonito sería.../que...!
¡Me encantaría.../que...!
Me apetecería.../que...
Quisiera.../que...

} infinitivo/subjuntivo

¡Quién...!
Ojalá...

} + subjuntivo

 # Observa

EXPRESAR ESPERANZAS REMOTAS	Ojalá...	Ojalá hubiera paz en el mundo.
	¡Quién...!	¡Quién pudiera tener varias vidas!
EXPRESAR ESPERANZA	A ver si...	A ver si tengo suerte con este trabajo.
	Ojalá...	Ojalá vengas a verme.
EXPRESAR DESEOS	Quisiera...	Quisiera que me comprendieras.
	Me gustaría...	Me gustaría que me dieras un beso.
	Me haría ilusión...	Me haría ilusión que Jorge viniera a mi fiesta.
	Me apetecería...	Me apetecería que cenásemos en un italiano.
	No me importaría...	No me importaría que nos fuéramos antes.
	No me vendría mal...	No me vendría mal que me dejaras algo de dinero, porque voy fatal.
	No estaría nada mal que..	No estaría nada mal que abrieran las tiendas todos los días.
CONJURAR COSAS NO DESEADAS	No vaya a ser que...	Ve despacio, no vaya a ser que te caigas.
	No sea que...	Apúntatelo, no sea que se te olvide.

3. Imagina cómo pueden continuar las frases con "no vaya a ser que" y "no sea que", como en el modelo.

1. Ten cuidado con la plancha...
2. ¡Ojo con el niño!...
3. Cuidado con el coche...
4. Apúntate el teléfono en la agenda...
5. Ponte una chaqueta...
6. Ve despacio...
7. Mete la comida en la nevera...
8. Habla más bajo...
9. No te metas por esas callejuelas...
10. No lleves el monedero en el bolsillo de atrás...

> Te lo voy a repetir, no sea que lo haya oído mal.

4. Haz una lista de diez cosas que te gustaría saber, hacer, tener... y que crees que son casi imposibles de conseguir. Después habla con tu compañero/a y díselas.

5. La clase se coloca en círculo. A continuación, cada uno/a expresa un deseo echando a volar la imaginación. El resto del grupo pregunta.

Ejemplo: *- ¡Quién fuera pájaro!*
                         - ¿Para qué?
                         - Para volar libremente por el cielo y atravesar las nubes.

6. ¿Qué tipo de deseo es querer "vivir sin aire"? Aquí tienes una canción del grupo mexicano Maná, que habla de ese deseo de difícil (más bien imposible) realización. Lee la canción *Vivir sin aire* y rellena los huecos con las palabras que te parezcan oportunas.

VIVIR SIN AIRE

....
poder vivir sin aire,
....
poder vivir sin agua.
....
quererte un poco menos,
....
poder vivir sin ti.
Pero no puedo,
siento que muero,
me estoy ahogando sin tu amor.
....
poder vivir sin aire,
....
calmar mi aflicción.
....
poder vivir sin agua,
me encantaría
robar tu corazón.
Cómo pudiera
un pez nadar sin agua,
cómo pudiera
un ave volar sin alas.

Cómo pudiera
la flor crecer sin tierra,
....
poder vivir sin ti.
Pero no puedo,
siento que muero,
me estoy ahogando sin tu amor.
....
poder vivir sin aire,
....
calmar mi aflicción.
....
poder vivir sin agua,
.... robar tu corazón.
....
lanzarte al olvido,
....
guardarte en un cajón.
....
borrarte de un soplido,
....
matar esta canción.

Maná *(Unplugged, 1999)*

7. Escucha la canción y comprueba si sus palabras coinciden con las tuyas.

GRAMÁTICA ACTIVA

Relaciona

8. Relaciona. En algunos casos hay varias posibilidades.

a. Me habría gustado

b. Me encantaría

c. Quiero

d. Espero

e. Me gustaría

f. Me hubiera gustado

1. que hubieras venido a mi fiesta, porque lo pasamos muy bien.

2. que nos visitaras en nuestra casa de campo, es preciosa.

3. que trabajes más con tus compañeros, porque aquí se trabaja en equipo.

4. que haya llegado a tiempo a la cita: era muy importante.

5. que hubieras conocido a mi novio, pero se acaba de marchar.

6. que pudieras venir a mi fiesta. Es una lástima.

9. Indica qué frases tienen el siguiente significado.

1. Deseas que algo ocurra habitualmente.

....

2. Deseas que algo haya ocurrido.

....

3. Deseas algo hipotético.

....

4. Deseas algo hipotético que no ha ocurrido.

....

5. Algo no ocurre, y expresas que te hubiera gustado que ocurriera.

....

6. Algo no ha ocurrido, y expresas que te hubiera gustado que ocurriera.

....

10. Rellena este esquema con los tiempos verbales adecuados.

Expresión de deseo en presente	sobre el futuro.	... **que** + ...
	sobre el pasado.	... **que** + ...
Expresión de deseo en condicional	sobre el futuro.	... **que** + ...
	sobre el pasado.	... **que** + ...
Expresión de deseo en condicional compuesto	sobre el futuro.	... **que** + ...
	sobre el pasado.	... **que** + ...

 Observa

Expresiones de deseo en PRESENTE DE INDICATIVO + que + PRESENTE DE SUBJUNTIVO o PERFECTO DE SUBJUNTIVO.

Expresiones de deseo en CONDICIONAL SIMPLE + que + IMPERFECTO DE SUBJUNTIVO o PLUS-CUAMPERFECTO DE SUBJUNTIVO.

Expresiones de deseo en CONDICIONAL COMPUESTO o en PLUSCUAMPERFECTO DE SUBJUNTIVO + que + IMPERFECTO DE SUBJUNTIVO o PLUSCUAMPERFECTO DE SUBJUNTIVO.

11. Haz frases de acuerdo a la situación.

1. Hoy ha habido una reunión en tu empresa. Juan, tu compañero, no ha preparado bien su presentación y todo ha salido mal.

2. Esta tarde tienes una cita con tu novio porque quieres presentárselo a tus padres. Normalmente es muy impuntual.

3. Vives en un piso muy pequeño y le estás contando a tu amiga tus deseos respecto a tu piso ideal.

4. Invitaste a un amigo a una fiesta familiar y se comportó fatal. No te esperabas eso de él.

5. No sabes si Federica ha llegado a tiempo de tomar el tren. Esperas que sí.

6. Una amiga se va al extranjero. Sabes que no le gusta mucho escribir, pero a ti te gustaría saber constantemente de ella.

7. Te has declarado a la persona de tu vida. Esperabas que dijera que te quería, pero ha dicho lo contrario.

8. Necesitas unas fotocopias, pero no tienes tiempo para hacerlas. Se lo pides a un compañero.

9. Has tenido una conversación muy delicada con tu compañera de piso, no estás segura de si te ha entendido bien. Esperas que sí.

10. Has estado en un concierto de música muy bueno, pero ha sido muy corto.

12. Piensa en cinco cosas de tu vida que fueron de una forma diferente a la que esperabas. Indica cómo te gustaría que hubieran sido. Escribe la situación en un papel y lo que te hubiera gustado en otro. Ponemos los papeles de lo que sucedió en un lugar y de lo que nos hubiera gustado en otro. Toma un papel de cada lugar, tal vez la situación no concuerde con el deseo. Invéntate la historia.

Ejemplo:

Situación: Josep me dejó por otra persona.
Deseo: *Me hubiera gustado que Josep se hubiera quedado conmigo.*

1. Imagina que pudieras crear la casa de tus sueños. Piensa cómo debería ser, qué te gustaría que tuviera, cómo te gustaría que fuera, en qué lugar te gustaría que estuviera, etc. (metros cuadrados, materiales de construcción, orientación, detalles de materiales, fuentes de energía).

2. Encárgale el proyecto a tu compañero/a, que es un/-a prestigioso/-a arquitecto/a. Él o ella tiene que tomar notas de lo que tú digas para después hacer un plano, un dibujo o un croquis de tu casa.

Urbanización

Los Perales del Tajo

OFERTA

CHALETS

3. Tu compañero/a te va a dar el dibujo que ha hecho de tu casa. ¿Se ajusta totalmente a lo que habías pensado o a lo que te hubiera gustado? Dale pistas para indicarle qué se debería cambiar.

Ejemplo: Me hubiera gustado que la cocina fuera más grande.

órbita 2
LENGUAJE PROFESIONAL

1. Aquí tienes diferentes medios de comunicación y de transmisión de mensajes. ¿Puedes describirlos?

correo electrónico
fax
mensaje de buzón de voz
carta
nota interna
boletín
tablón de anuncios
video conferencia
mensaje de intrarred
chat
teléfono
telegrama
mensaje de contestador automático

1

2

Clasifícalos con tu compañero/a según algún criterio: rapidez, antigüedad, etc.

2. ¿Qué medio de comunicación utilizarías para...? ¿Por qué?

- Mandar una solicitud de empleo con currículum.
- Consultar el estado de tus cuentas del banco.
- Despedir a un empleado.
- Dar el pésame a un compañero de trabajo por la muerte de un familiar.
- Discutir con el/la representante de tu empresa en Hong Kong sobre la campaña publicitaria de la empresa.
- Felicitar la Navidad a todos/as los/as empleados/as de tu empresa.
- Informar a toda la empresa de los cursos de idiomas que se imparten fuera de jornada.
- Dar a conocer la memoria de actividades de la empresa del año pasado.
- Concertar una cita.
- Enviar un presupuesto urgente con factura adjunta a un cliente.

3. Lee este texto. ¿Qué te parece?

Las organizaciones (empresas, instituciones...) se encuentran hoy en un entorno de cambios vertiginosos en productos y servicios, sujetas a un mayor número de normativas y regulaciones y con auditorías externas e internas que les exigen cada día más una información completa y puntual, por todo lo cual han experimentado un notable incremento en el volumen de mensajes y emisores de mensajes.
Las nuevas tecnologías de la comunicación, como el buzón de voz, el correo electrónico, la autoedición y las intrarredes, así como el extendido e incuestionable dogma "cuanta más comunicación y más formación, mejor", han animado a las organizaciones a invertir aún más tiempo y dinero en comunicación, e incluso en formación.
Sin embargo, varias consultorías e investigaciones han demostrado que estos gastos a menudo obstaculizan, más que promueven, el rendimiento general de la organización.

4. ¿Cuál de las siguientes soluciones te parecería la más conveniente?

☐   Restringir los seminarios de formación al mínimo imprescindible.

☐   Destinar a una persona con el fin único de controlar la comunicación de la organización con el exterior y de distribuir internamente la información, para que no se dupliquen los mensajes innecesariamente.

☐   Impartir seminarios internos de comunicación en los que se impregne a los empleados de la filosofía y cultura de la organización.

☐   Simplificar los sistemas de comunicación interna -fax, correo electrónico, buzón de voz, etc.- creando una página de información actualizada en Intranet.

☐   Buscar una consultoría que desarrolle un programa de auditorías internas para conocer los problemas de comunicación y así buscar soluciones globales.

☐   Otras: ....

5. Escucha la siguiente reunión de trabajo entre un directivo de una sucursal bancaria y el equipo de Recursos Humanos y toma notas.

TEMA

Problemas	Propuesta de soluciones

6. Contesta a estas preguntas.

1. ¿Podrías enumerar los diferentes tipos de soporte de comunicación que mencionan en este diálogo?

2. ¿Cuáles son los problemas a los que se enfrenta el banco en el terreno de la comunicación?

3. ¿Qué solución encontraron que no les funcionó?

4. ¿Cuáles son las soluciones que suponen que les van a funcionar mejor?

7. Aquí tienes la transcripción del diálogo anterior. Léelo y complétalo con las expresiones que te damos. Después escúchalo de nuevo.

RRHH: ¿Puede explicarnos cómo percibe usted la comunicación en su empresa?

Directivo: Pues mire, si yo leo y respondo a todas las notas internas, asisto a todas las reuniones para examinar nuevas políticas, participo en todos los cursos de formación que se me piden, ... no llego a poder realizar mis tareas, ... A menudo se nos sobrecarga con demasiada información, y , ... los responsables del Departamento de Formación, esto conduce a una parálisis en el trabajo.

RRHH: .... no tuviera usted que responder personalmente a todos los mensajes, que pudiera delegar una parte de sus comunicaciones en otra persona, ... en un colaborador cualificado.

Directivo: Bueno, de hecho, ya hemos tenido varios colaboradores así, pero era tal el volumen de mensajes que llegaban en papel impreso -correos electrónicos, mensajes al buzón de voz, etc.-, que .... la persona encargada no tenía más remedio que responder solamente a algunos de ellos. Y, claro, eran inexpertos en estas cuestiones y, por lo tanto, no sabían discriminar con claridad. Esto dio lugar a veces a muy costosos errores.

RRHH: .... nuestro departamento desarrolla un sistema para coordinar la difusión de los mensajes, ..., para que los receptores tengan tiempo para procesarlos y no se acumulen y dupliquen sin sentido.

Directivo: Sí, me parecería interesante... .... Sin embargo, también me parecería conveniente desarrollar fuentes de información comunes. .... en lugar de docenas de boletines, notas internas y otro tipo de comunicación, la información con un contenido afín se pudiera agrupar y distribuir de manera global, por ejemplo a través de un correo electrónico de información actualizada, las páginas de Intranet o un tablón de anuncios...

RRHH: .... el sistema de comunicación interna que elijan, lo importante es que todos los empleados compartan la misma información y tengan claro cuál es la filosofía de la empresa. Hay que conseguir que todos los actos de comunicación externa se ajusten a los criterios del banco. Para ello es importante que .... se realicen auditorías internas y externas, que todo el personal de atención al público entienda los mensajes de marketing que se envían a los clientes y que la comunicación sea efectiva.

Haga lo que haga	Sean cuales sean
Sea cual sea	Digan lo que digan
Fuera quien fuera	Sean del tipo que sean
Supongamos que	Digamos
Pongamos,	Imagine que
Imagine que	Cuando quieran...

planet@ **4**

8. ¿Puedes imaginar qué expresiones se utilizan para...?

Poner un ejemplo.

....

Hacer una hipótesis, una suposición, una propuesta.

....

Ceder la elección de un momento, un lugar, algo, a otra persona.

....

Indicar que ese aspecto no importa demasiado.

....

9. Coloca las expresiones anteriores en el cuadro para completarlo.

Expresiones	Significado
	....
	....
	....
	....

10. Tienes que hacer estas cosas con tu compañero/a. Hazle sugerencias, él o ella las aceptará o las rechazará.

- Hoy es viernes y hay que hacer un informe sobre la marcha de la empresa. El trabajo va a ser largo y duro.
- La comunicación entre Contabilidad y Secretaría no funciona como debiera.
- Los pedidos se ejecutan con retraso y los clientes están insatisfechos con el servicio.
- Las facturas no se gestionan con rapidez y a los proveedores se les paga con retraso.
- El banco con el que trabaja tu empresa no tiene banca electrónica.

Para ayudarte	
Imagínate...	Supongamos que...
Pongamos que...	Muy bien, como tú quieras.
Vale, cuando quieras.	No, mejor...

GRAMÁTICA ACTIVA

11. Observa estas frases. ¿Sabes cómo se forman?, ¿qué elementos se repiten?, ¿qué tipo de palabras sirven de conectores?, ¿qué significa este tipo de expresiones? Describe la estructura.

Haga/n lo que haga/n
Venga/n cuando venga/n
Vaya/n adonde vaya/n
Sea/n del tipo que sea/n

Sea/n cual/es sea/n
Diga/n lo que diga/n
Fuera/n quien/es fuera/n
Fuera/n adonde fuera/n

 # Observa

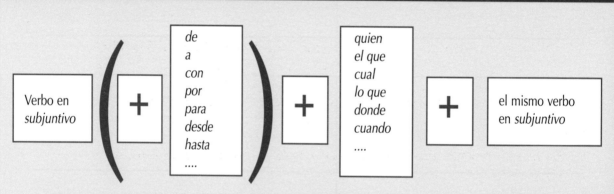

| Verbo en *subjuntivo* | + | (de
a
con
por
para
desde
hasta
....) | + | quien
el que
cual
lo que
donde
cuando
.... | + | el mismo verbo en *subjuntivo* |

Se utiliza el presente de subjuntivo cuando nos referimos al presente o al futuro.
Se utiliza el imperfecto de subjuntivo cuando nos referimos al pasado, se trata de una situación ficticia o hipotética o lo consideramos como algo remoto.

- Para expresar la misma idea también existe la posibilidad de realizar compuestos con *–quiera*:

cualquiera que...   comoquiera que...   dondequiera que...   quienquiera que..., etc.

Este tipo de compuestos se usa mucho en Hispanoamérica, pero en España resultan arcaicos.

12. Transforma estas frases utilizando las formas reduplicativas como en el modelo.

Ejemplo: No importa adónde fuera. Yo siempre sería el mismo. "Genio y figura..."

Fuera adonde fuera yo siempre sería el mismo: "Genio y figura"...

1. No importa lo que trabaje; no me van a subir el sueldo.
   ....

2. No importa lo que digas, pero no voy a creerte, porque he perdido la confianza en ti.
   ....

3. No importa la persona con quien convivas, siempre descubrirás algo nuevo en ella.
   ....

4. No importa el camino que elijas, vas a tardar lo mismo. Por lo tanto, ¿qué más te da?, ven por aquí.
   ....

5. No importa lo que me cueste, en todo caso lo voy a comprar.
   ....

6. No importa cuándo regreses. Yo estaré esperándote.
   ....

7. No importa las críticas que me hicieran.
   ....

8. No importa lo que pase. Estaré siempre a tu lado.
   ....

9. No importa cómo fuera vestido. Tenía mucho estilo.
   ....

10. No importa lo que sabe, sabe guardar un secreto.
    ....

11. No importa cuáles sean las condiciones. Las aceptaré.
    ....

1. Lee este documento.

ANTE LA MUERTE DE LA MÁQUINA.

MUTADA YA EN VIEJA GLORIA, LA MÍTICA MÁQUINA DE ESCRIBIR TIENE LOS DÍAS CONTADOS. LA COMPAÑÍA SMITH CORONA HA DADO YA SU ADIÓS DEFINITIVO, EN TANTO QUE OLIVETTI HA TOMADO EL CONTROL DE TELECOM PARA DIVERSIFICAR FUNCIONES Y DESPEJAR ASÍ SU HORIZONTE. CORREN TIEMPOS DE GLOBALIZACIÓN Y A LAS LEYENDAS DE OFI-CINA SE LES PASA EL ARROZ TECNOLÓGICO. ANTE LOS EMBATES DE LA MODER-NIDAD, SÓLO QUEDAN DOS OPCIONES: DESAPARECER POR LA PUERTA GRANDE O RESISTIRSE ENARBOLANDO CON NOSTALGIA EL CERTIFICADO DE ANTIGÜEDAD, ESO QUE COMÚNMENTE LLAMAMOS "DE TODA LA VIDA". LOS EXPERTOS HACEN SUS AUGURIOS SOBRE LOS OBJE-TOS QUE SOBREVIVIRÁN Y LOS QUE MORIRÁN EN EL NUEVO SIGLO. **POR NOELIA FERREIRO. FOTOGRAFÍAS DE JOSÉ Mª PRESAS**

NO SOBREVIVIRÁN

FOTOCOPIADORA. EL CONSUMO DE PAPEL DETERMINARÁ SU EXISTENCIA.

VHS. NADA QUE HACER FRENTE A LA CALIDAD DEL DVD.

CDROM. SE COMIENZA A CUESTIO-NAR SU REDUCIDA CAPACIDAD.

FAX. SÓLO ERA UN PASO PREVIO A LA IRRUPCIÓN DEL "E-MAIL".

MÓVILES. LOS ACTUALES SERÁN SUSTITUIDOS POR LOS WAP Y UMTS.

DISQUETE. LA MAYORÍA DE ORDENA-DORES YA NO TIENEN DISQUETERA.

CINTAS. LOS NUEVOS SOPORTES MAGNÉTICOS LAS HAN SUSTITUIDO.

SÍ SOBREVIVIRÁN

PERIÓDICO. LA COSTUMBRE GARANTIZA SU FUTURO.

PC. SÓLO SUFRIRÁN ALGUNA REDUCCIÓN DE TAMAÑO.

PLUMA. UN TOQUE PERSONAL ENTRE TANTA MÁQUINA.

AGENDA. SEGUIRÁ SOBRE LA MESA DE LOS ROMÁNTICOS.

2. Y tú, ¿qué opinas? Piensa en qué máquinas seguirán en uso. Escribe argumentos en favor de tu idea.

....
....
....
....
....
....
....

3. Toda la clase vamos a discutir sobre esto. Durante la discusión tú tienes que realizar las actividades que enumeramos a continuación. Si las cumples, habrás finalizado con éxito esta última práctica global.

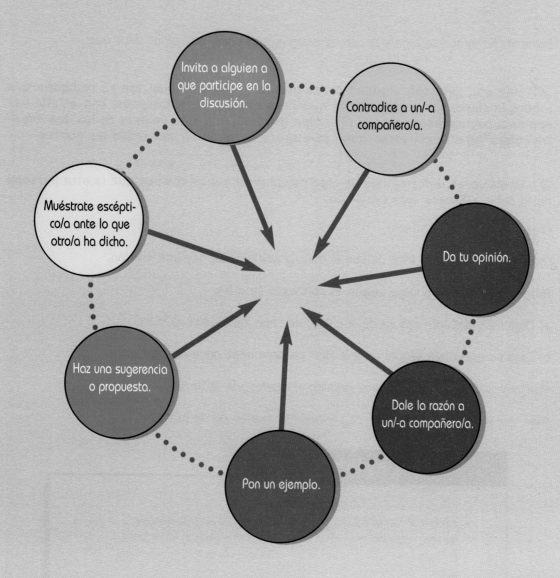

Tierra firme

1. Como sabes, muchas veces hablamos para informar de algo. Mira estas expresiones.

En/por lo que se refiere a
En/por lo que atañe a
En/por lo que respecta a
Respecto de
Con respecto a
En cuanto a
En lo tocante a
A propósito de
En relación con

> Se usan para introducir una información referente a algo que los interlocutores saben y que todavía no se había tratado.

Ejemplo: En lo que se refiere al uso de estas expresiones, queremos decir que...

2. Haz una lista con algunas cosas que te gustaría hablar con tu compañero/a (sobre la clase, sobre algo que le quisieras contar, etc.). Después, con él/ella haz una lista común: este va a ser el "orden del día", que está delante de los dos mientras tiene lugar la conversación. Cada uno/a tiene que tratar todos los puntos.

3. Otras veces, informamos de algo mostrando que pensamos que la otra persona no lo sabe. Observa esta situación.

Olga y Pilar trabajan juntas.

Olga quiere informar a Pilar de que el martes por la tarde hay una reunión.

Selecciona qué dice Olga según el contexto (a o b):

a) Olga está bastante segura de que Pilar no sabe nada de la reunión.

b) Olga no está nada segura de que Pilar no sepa nada de la reunión.

Pilar, por si no lo sabes, hay una reunión el martes por la tarde.

Pilar, por si no lo supieras, hay una reunión el martes por la tarde.

Para ayudarte

También se podría decir

por si no te has enterado,	por si no te hubieras enterado,
por si no estás informado/a,	por si no estuvieras informado/a,
por si nadie te ha dicho nada,	por si nadie te hubiera dicho nada,
etc.	

4. Informa a tu compañero/a según estas coordenadas:

- Crees que no sabe que hay una cena el próximo fin de semana con toda la clase.
- Sabes que él/ella quiere hablar con el/la profesor/-a mañana y sabes también que este/a se va hoy de vacaciones.
- Él/ella no sabe que ayer os informaron de que a partir de la próxima semana estaréis en otra aula.
- Tú terminas el curso esta semana.

Dale informaciones que crees que él/ella no tiene y que le conciernen.

1. ¿Te has fijado en que hay ocasiones en las que repetimos varias veces la misma palabra? Escucha y completa el cuadro.

	Nº de diálogo	Expresión
Sirve para interrumpir a la otra persona, en general.		
Sirve para expresar desaprobación.		
Sirve para expresar escepticismo.		
Sirve para interrumpir a la otra persona, cuando está repitiendo algo que no habíamos entendido o de lo que no nos acordamos.		

2. Interrumpe a tu compañero/a.

- Él/ella te explica cómo funciona un radiocasete.

- Te explica cómo funciona una televisión.

- Te explica muy detalladamente por qué va a comprar un ordenador portátil.

- Te explica muy detalladamente por qué va a comprar un ordenador "fijo".

- Te describe muy detalladamente a alguien que conoces y que has olvidado.

- Te describe muy detalladamente un lugar que conoces y que has olvidado.

- Propone algo que desapruebas.

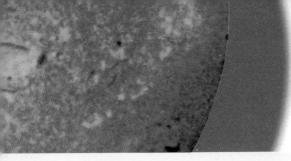

 1. Has llegado a la Tarea final del último tema de *Planet@ 4*. ¡Enhorabuena! Eso significa que has avanzado enormemente en tu aprendizaje del español.¿Recuerdas la autoevaluación que llevaste a cabo en el Dossier Puente de *Planet@ 3*? Vamos a retomarla para que te sitúes de nuevo en los niveles y compruebes tu progreso.

	A1	A2	B1	B2
Comprender	Soy capaz de reconocer expresiones familiares y cotidianas, así como frases muy sencillas, por ejemplo, instrucciones breves y fáciles, siempre que se hable despacio y de manera clara.	Soy capaz de entender frases aisladas y palabras de uso frecuente si, por ejemplo, se trata de información personal básica, sobre la familia, compras, y el entorno inmediato. Entiendo la información principal de mensajes breves y claros.	Soy capaz de comprender los puntos esenciales cuando se utiliza un lenguaje estándar y claro sobre aspectos que me son familiares referentes al trabajo, la escuela, el tiempo libre, etc. Soy capaz de comprender la información más importante de muchos programas de radio o televisión sobre acontecimientos de actualidad o sobre temas de interés o que se refieren a mi esfera profesional, siempre que se hable despacio y de manera clara.	Soy capaz de seguir intervenciones de una cierta longitud y una argumentación compleja, siempre que los argumentos me sean familiares. Soy capaz de comprender la mayor parte de los noticiarios y de los documentales televisivos. Soy capaz de comprender la mayor parte de las películas, si se habla un lenguaje estándar.
	Soy capaz de comprender nombres que me resultan familiares y frases muy sencillas, por ejemplo en carteles, catálogos y pósters.	Soy capaz de leer un texto muy breve y sencillo y de identificar informaciones concretas y previsibles en textos cotidianos sencillos (por ejemplo, anuncios, folletos, menús, horarios); soy capaz de comprender una carta personal breve y sencilla.	Soy capaz de comprender un texto en el que se utiliza sobre todo un lenguaje corriente o profesional. Soy capaz de comprender la descripción de acontecimientos, sentimientos o deseos en una carta personal.	Soy capaz de leer y entender un artículo o un reportaje en el que los autores sostienen sus posturas o puntos de vista. Soy capaz de entender un texto literario contemporáneo en prosa.
Hablar	Soy capaz de expresarme de manera sencilla, siempre que mi interlocutor/-a pueda repetir o reformular lo que intento decir. Soy capaz de plantear y de responder preguntas sencillas en situaciones de necesidad inmediata, o referentes a situaciones que me son muy familiares.	Soy capaz de comunicarme en situaciones sencillas y habituales que requieran un intercambio de información sencillo y directo y que se refieran a temas y actividades que me son familiares. Soy capaz de gestionar intercambios sociales muy breves, pero no comprendo lo suficiente para conducir personalmente la comunicación.	Soy capaz de manejarme en la mayoría de las situaciones lingüísticas encontradas en viajes al extranjero. Soy capaz de participar sin prepararme en una conversación sobre algún tema que me resulte familiar o interesante (por ejemplo, la familia, mis intereses, el trabajo, los viajes y los acontecimientos actuales).	Soy capaz de comunicarme con un grado de fluidez y espontaneidad capaces de permitir una conversación normal con un/-a interlocutor/-a de lengua materna, sin generar tensión en ninguna de las partes. Soy capaz de participar activamente en una discusión y de exponer y justificar mis opiniones.
	Soy capaz de utilizar expresiones y frases sencillas para describir a las personas que conozco y el lugar donde vivo.	Soy capaz de describir, en pocas frases y con la ayuda de medios sencillos, a mi familia, a las otras personas, mi formación, mi trabajo actual o la última actividad desarrollada.	Soy capaz de hablar utilizando frases sencillas y coherentes para describir experiencias, acontecimientos, sueños, esperanzas y objetivos, y de dar las razones y las explicaciones referentes a mis opiniones y mis proyectos. Además soy capaz de contar el argumento de una película o de describir mis reacciones.	Soy capaz de hacer descripciones claras y detalladas sobre diferentes temas referentes a mi esfera personal de intereses. Soy capaz de explicar un punto de vista sobre una cuestión de actualidad, añadiendo las ventajas e inconvenientes de las distintas opciones.
Escribir	Soy capaz de escribir una postal sencilla y breve enviando saludos desde el lugar de vacaciones. Soy capaz de rellenar un formulario como, por ejemplo, los de los hoteles, con mis datos (nombre, dirección, nacionalidad, etc.).	Soy capaz de escribir una nota o un mensaje corto y una carta personal sencilla, por ejemplo, para dar las gracias.	Soy capaz de escribir un texto sencillo y coherente sobre temas que me son familiares y cartas personales contando experiencias y describiendo impresiones.	Soy capaz de escribir textos claros y detallados sobre numerosos argumentos relativos a la esfera de mis intereses y de reportar informaciones en un estudio o en una relación o de expresar pensamientos evaluando sus pros y sus contras. Soy capaz de escribir cartas personales y formales destacando lo que es importante.

Comenta con tu compañero/a dónde te sitúas, cuáles crees que son tus puntos fuertes, dónde puedes mejorar, etc.

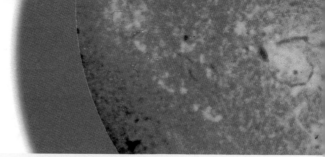

FINAL

2. Durante las últimas cuatro unidades de *Planet@* te hemos planteado posibles formas de continuar con tu aprendizaje del español. Sería interesante que te preguntaras qué cosas relacionadas con esas tareas te sientes capaz de hacer. Rellena este mapa mental.

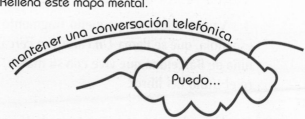

mantener una conversación telefónica.

Puedo...

C1	C2
Soy capaz de seguir discursos y conversaciones de una cierta longitud aunque no estén estructurados claramente y aunque las relaciones contextuales estén implícitas y no se expongan de una manera explícita. Soy capaz de comprender sin grandes dificultades un programa de televisión o una película.	No tengo ninguna dificultad para comprender la lengua hablada, tanto en vivo como en los medios de información, incluso cuando se habla rápido. Sólo necesito un poco de tiempo para acostumbrarme a un acento especial.
Soy capaz de entender textos literarios y no literarios largos y complejos y percibir sus características estilísticas. Soy capaz de comprender artículos especializados o instrucciones técnicas largas, aunque no se refieran a mi campo de especialización.	Soy capaz de comprender sin dificultad todos los tipos de textos escritos, incluso los abstractos o complejos desde el punto de vista del lenguaje y del contenido, por ejemplo, manuales, artículos especializados u obras literarias.
Soy capaz de expresarme con fluidez y espontaneidad casi sin esfuerzo, sin tener que buscar a menudo las palabras de una manera evidente. Soy capaz de usar la lengua con eficacia y desenvoltura en la vida social, profesional o en el ámbito de la formación. Soy capaz de expresar mis pensamientos y mis opiniones con precisión y de relacionar con habilidad mis intervenciones con las de los otros interlocutores.	Soy capaz de participar sin dificultad en cualquier conversación o discusión y estoy familiarizado/a con las expresiones idiomáticas y coloquialismos. Soy capaz de expresarme con fluidez y también de expresar con precisión matices sutiles de sentido, de volver sobre una dificultad y reformularla de manera tal que no se note.
Soy capaz de presentar y discutir un tema complejo de manera elaborada, relacionando los puntos temáticos, exponiendo los diferentes aspectos, y de terminar mi intervención de manera adecuada.	Soy capaz de llevar a cabo sin dificultad exposiciones largas o desarrollar una argumentación larga, elaborar descripciones de manera lógica, llamar la atención de quien me escucha sobre los puntos más importantes y adaptar mi lenguaje al estilo de la situación y de quien me escucha.
Soy capaz de expresarme por escrito con claridad y de manera bien estructurada y de exponer detalladamente mis opiniones. Soy capaz de tratar un tema complejo en una carta, en un estudio o en un informe y de subrayar de manera adecuada los aspectos que considero esenciales. En mis textos escritos soy capaz de elegir el estilo que mejor se adapta a quien lee.	Soy capaz de escribir textos claros, fluidos y estilísticamente adecuados a cualquier situación. Soy capaz de escribir una carta exigente, un informe largo o un artículo sobre cuestiones complejas, y de estructurarlos con la claridad necesaria para que quien lo lea comprenda los puntos relevantes. Soy capaz de resumir y criticar por escrito textos literarios y no literarios.

3. Según las capacidades que has desarrollado, y tus preferencias personales, elige la posibilidad que más te convenga, escribe un párrafo en el que expliques por qué y coméntalo con tus compañeros/as.

....
....

4. Elige a un/-a compañero/a que quiera hacer lo mismo que tú y traza un plan de acción para llevarlo a cabo.

Pasos a seguir...

Contactar con...
Mandar...
Marco temporal
Actividad concreta

AUTOEVALUACIÓN

(Puntuar cada apartado con A1, A2, B1, B2, C1 o C2)

Lengua española.

1. Comprensión auditiva: ☐

2. Expresión oral:

  2.1. Interacción oral: ☐

  2.2. Producción oral: ☐

3. Comprensión lectora: ☐

4. Expresión escrita: ☐

Valoración global: ☐

5. Presenta tu proyecto a la clase con una transparencia, fotocopia, póster o esquema.

¡Mucha suerte!

1. Vamos a leer un pequeño fragmento de una novela de Maruja Torres, una escritora española, que se llama *Un calor tan cercano*. En ella se cuenta la historia de Manuela, una niña de Barcelona que vive con su madre, su tía y el marido de esta, Ismael. ¿Qué te sugiere el título del libro?

2. Ahora lee el texto, que trata de los encuentros de la prima Irene y el tío Ismael con Manuela como testigo. Después contesta a las preguntas.

Ni siquiera ellas, que todo lo ensombrecían, poseían poder alguno sobre aquellos encuentros en que Irene, aliada del mar, y el tío, proveedor de quimeras, convertían el puerto en el marco ideal para mis sueños. Era allí donde me entregaba a la mentira más grande, una mentira que jamás me atrevía a contarle a nadie, ni siquiera a Ismael.

A veces -como aquella mañana-, Irene nos estaba esperando, y entonces notaba temblar ligeramente la mano de mi tío, apenas un estremecimiento que pasaba a mi cuerpo y me recorría hasta la médula. Todavía evoco la silueta delgada de la prima enmarcada por la luminosidad del Mediterráneo, su falda desplegada como una vela, sus piernas morenas bien plantadas en el suelo, y las manos en los bolsillos, una postura tranquilizadora, con la que parecía comunicarnos que teníamos por delante todo el tiempo, aunque también ella se había escapado, y a lo sumo disponíamos de un par de horas. […]

La naturaleza de sus relaciones permanecía confusa en mi mente, pero había visto suficiente cine como para reconocer en ellos el sentimiento llamado amor que nunca había percibido dentro de mi familia. Lo que pudieran hacer cuando no se hallaban conmigo, lo que pudieran decirse, era algo con lo que sólo podía especular. En mis fantasías actuaban como protagonistas de la última película que había visto, […] entregados a lo que en los programas cinematográficos que se repartían entre el público se llamaba, creo recordar, "una pasión imposible".

La mentira que yo me contaba, y que ni siquiera a Ismael se la confesé, era que en el puerto, en aquellas horas dichosas en que me sentía protegida por su presencia y la de Irene, yo buscaba entre los barcos el que más se parecía al que una vez vi partir, y lo miraba hasta convencerme de que se movía, y de que en su cubierta, agitando alegremente la mano, nos hallábamos nosotros tres. Miraba y miraba y nos veía marchar, deslizándonos sobre el agua irisada por la grasa, alejándonos del puerto en el barco italiano que se llevaba hacia el sol mi pequeña vida cargada de pesares y a los padres que habría querido tener.

1

1. ¿Cuáles eran los deseos de Manuela?
2. ¿Cómo le hubiera gustado que fuera su familia?
3. ¿Cómo crees que era en realidad su vida familiar?
4. Al principio del texto se refiere a "ellas".
¿De quiénes crees que está tratando?
¿Cómo crees que son "ellas"?
5. ¿Cómo era Irene?
6. ¿Cómo era el tío Ismael?
7. ¿Qué tipo de relación mantenían Irene e Ismael?
8. ¿Qué soñaba Manuela cuando estaba con ellos?
9. ¿Qué simboliza Irene para Manuela?
10. ¿Por qué crees que Manuela piensa en barcos que van a Italia y describe la falda de Irene como una vela? ¿Qué relación hay entre las dos imágenes?
11. ¿Cuál es la gran mentira que Manuela no se atrevía a contar a nadie?

3. Intenta hacer una descripción del tío Ismael.

....
....
....
....
....
....
....
....
....
....

2

Maruja Torres

Maruja Torres nació en Barcelona (España), en 1943. Sus frases llenas de agudeza y humor se hicieron pronto populares en la España del último franquismo y las primeras libertades, en publicaciones como *Fotogramas* o *Por favor*. Sus labores de periodista no han dejado facetas sin cubrir, desde corresponsal de guerra en el Líbano y Panamá, a crónicas de la jet-set y reportajes sobre su largo viaje por Hispanoamérica. *Amor América, Como una gota, Un calor tan cercano* (1996), sus memorias periodísticas *Mujer en guerra* (1999) y *Mientras vivimos* -Premio Planeta de narrativa, 2000- son sus más recientes obras.

3

4. ¿Podrías recrear ahora tú un momento de tu vida, una sensación o una situación mágicas, que te hacían soñar y desear cosas fantásticas o irreales?

RUTA LITERARIA
paisaje: desierto

1. ¿Qué significa para ti el paisaje "desierto"?

2. Entre el mar y los Andes, en el extremo norte de Chile, se ubica el desierto más seco del mundo: el desierto de Atacama. ¿Puedes localizarlo en el mapa de la página 6?

De Atacama nos habla el poeta chileno Sergio Macías en su poema *Paisaje de Finis terrae*, en el que nos describe a Chile:

En el Norte cayó durante millones de años
la claridad y sus sonidos. La arena de los astros.
Así se formó el desierto más árido del mundo,
donde la luna se anida junto a los luceros.
No hay animales ni insectos. Sólo la llama
perpetua del sueño. Los brillantes minerales.

Caminas por el desierto, entre dunas, formaciones geológicas rocosas, valles sin río, un inmenso cielo que contrasta con el color intenso y cambiante de la tierra. Te hundes en la soledad más vibrante, en la luz más plana, en la ausencia del agua. Y es como si estuvieras en la parte más abierta de la Tierra, te das cuenta de que ese paisaje se ubica en el universo, es puro planeta. Y entonces lo amas. Y entonces descubres que está lleno de vida.
El desierto de Atacama, que también es jardín florido, le habla al planeta en español.

3. Observa esta foto: es el Desierto Florido, el mismo desierto. En la época de abundantes lluvias, que tiene lugar cada 6 ó 10 años, se produce el milagro: la lluvia aumenta gracias a la corriente del Niño, que penetra desde el Ecuador, y las precipitaciones que se producen hacen que innumerables semillas y bulbos que han soportado años de sequía, florezcan y cubran la arena de llamativas flores.

4. Lee esta poesía del escritor chileno Raúl Zurita.

Terciopelo amarillo
Pata de Guanaco
Retamo
Malvitas
Añañucas
Garra de León
Flor del Minero
Suspiros
Huillis
Chamiza
Mariposa Blanca
Dondiego de noche
Cuernos de Cabra
Maravilla de campo
Flor del jote

Arenales, polvos, extensiones de la nada y desiertos

¡VIVE!

Como el aura   como los espejismos   como las visiones vimos entonces entre las aguas el desierto de Atacama

Marchando en los torrentes que todo lo llevan al oeste: también marcharon al oeste las cordilleras   replica el corrido desierto   flotando

Como una balsa arrastrada hacia los roqueríos que el Pacífico despliega delante de Chile   La demencia   las pasiones   la sequedad de vuestras almas nos fueron empujando como el viento empujó las llanuras   parecían decir los ríos llevando el desierto de Atacama hacia las playas donde todos los paisajes se amontonaban llorando y éramos nosotros los que llorábamos   ante él   mirándolo entrar igual que un manto en el Pacífico

Raúl Zurita

Raúl Zurita (1950), poeta chileno, Premio Nacional de Literatura en el año 2000. Zurita fue prisionero político en el comienzo de la dictadura de Augusto Pinochet (1973-1990). Es autor de numerosas acciones artísticas, como escribir poemas en el cielo de Nueva York con humo expelido desde aviones, o la gigantesca grabación de la frase "Ni pena ni olvido" en el desierto de Atacama, que es visible sólo desde el aire. Entre sus obras, que han sido traducidas a varios idiomas, destacan *Anteparaíso* (1982), *El amor de Chile* (1987), *Canto de los ríos que se aman* (1993), y *La Vida Nueva* (1994).

T A R E A S

1. ¿Qué rasgos especiales tiene la puntuación y la expresión gráfica de este poema? ¿Qué crees que significan? ¿Podrías reescribir el poema con la puntuación convencional?

2. Para ayudarte a entender el significado de la puntuación, entresaca del texto, con tu compañero/a, todas las palabras (verbos, sustantivos, adjetivos) que impliquen movimiento.

3. ¿Desde dónde está viendo el poeta el desierto? ¿Con qué imagen describe la cercanía del desierto con el mar? ¿Puedes vincular este poema con los rasgos biográficos del autor y con la situación política de Chile?

1. Has llegado al final de este libro y ahora tienes una visión muy amplia de la lengua española. El Sol de este tema ilumina tus ideas y, por eso, vamos a contarte una historia en la que podrás ver reflejados tus conocimientos. Escúchala.

2. ¿Podrías dibujar, con tu compañero/a, un retrato o una representación de Don Subjuntivo y Don Indicativo?

3. Entre todos, elegimos el retrato que más nos guste y que mejor refleje las características de Don Subjuntivo y Don Indicativo. Lo ponemos en la pared.

Esta es una sugerencia de los autores. ¿Con cuál de los personajes relacionamos a Don Indicativo y con cuál a Don Subjuntivo? ¿Por qué?

4. Aquí tienes unas frases. ¿Puedes añadir más frases a la lista? Hazlo y después decide cuál de los dos personajes ha dicho cada una de ellas. Puedes pegarlas al lado de cada personaje.

Conozco un lugar que.........
Estoy hasta las narices de que...........
Hubiera sido mejor que...................
Pues algún día, en cuanto..........
Yo había llegado tarde y entonces...
Habría sido maravilloso que....
Estoy convencido de que........

Me gustaría que los verbos..........
Quiero que sepas que............
Necesito encontrar a una persona que..........
Fue un viaje maravilloso en el que.....
Si lo hubiera sabido..............
Digan lo que digan...
No estoy seguro de que............

EN ESTA UNIDAD HAS APRENDIDO:

VOCABULARIO:

- Medios de comunicación: *Correo, fax, nota interna.*
- Materiales de construcción: ....
- Fuentes de energía: ....

GRAMÁTICA:

- Expresar deseos:

- Que algo ocurra habitualmente. ....
- Que algo haya ocurrido. ....
- Sobre algo hipotético que no ha ocurrido. ....
- Sobre algo hipotético pasado que no ha ocurrido. ....

CÓMO SE DICE:

Recuerda expresiones para:

- Expresar esperanzas remotas: *Ojalá,* ....
- Expresar deseos de difícil realización: *Quisiera,* ....
- Conjurar cosas no deseadas: *No sea que,* ....
- Hacer suposiciones: *Pon que,* ....
- Poner un ejemplo: *Por ejemplo,* ....
- Mostrar indiferencia con frases reduplicativas: *Sea quien sea,* ....

¿Puedes poner ejemplos de qué es lo que harías a partir de ahora?

Con mi español quisiera que ....
Ojalá que todo el mundo ....
Desearía que en un futuro ....
Podré utilizar mis conocimientos sea donde sea que ....
Imaginemos que ....

1. Escucha este diálogo y toma notas.

2. Contesta a las preguntas.

¿De qué se queja Jesús? ....

¿Qué le gustaría? ....

¿Por qué no se pone al teléfono? ....

¿Qué opinión tiene de su trabajo? ....

3. Ordena el diálogo.

- ¡Quién fuera rico y pudiera dejar esta tortura!

- ¿En febrero?

- ¿Qué más da? Sea la época que sea, cualquier lugar mejor que la oficina.

- Ah, no puedo más, estoy agotado. ¡Quién estuviera de vacaciones!

- Bueno, como tú quieras, pero luego no me vengas con historias.

- Bueno, ya verás como cambio. Julia, anda, pásame al del banco...

- Hija, ¡qué dramática te pones! Total, si sólo era un comentario tonto.

- Hombre, a ver si va a ser algo importante. Supón que es el jefe que quiere darte vacaciones.

- Jesús, que si te pones...

- Jesús, te llaman por la línea 3.

- ¿Lo ves?, si es que no puede ser. Para un ratito que uno se toma para soñar... Pues ¿sabes lo que te digo?, que no lo cojo. Sea quien sea, estoy en mi pausa del cafelito y paso.

- Mujer...

- No sé, lo que fuera.

- No, si tienes razón, pero cómo me gustaría que el jefe nos hubiera dado unos largos meses de vacaciones, que mi mujer también estuviera libre y que toda la familia pudiéramos estar tumbados en una playa sin otra cosa que hacer que oír el mar.

- Puf, cómo me gustaría mandarlo todo a la porra.

- Que es del banco.

- Que he dicho que no, que luego le llamo.

- Que no.

- Sí, hombre, como si el del banco le estuviera esperando todo el día al señor...

- Vamos, chico, no es para tanto. A todos nos llegan las vacaciones.

- Venga, Jesús. A ver, ¿qué harías tú todo el día sin hacer nada?

- Y luego que si te aburres, que vamos a hacer algo juntos, lo que sea, que si...

- Ya empezamos. O sea, que lo que más te gustaría del mundo sería tener vacaciones eternas.

- Ya, como si eso pasara.

- Ya, pero es que te pasas el día igual.

- Ya, todo el día mano sobre mano esperando que alguien, fuera quien fuera, por pesado que fuera, te llamara y te sacara de tu aburrimiento.

4. En el diálogo dicen cosas parecidas a estas. ¿Puedes encontrar dónde?

- Me gustaría muchísimo estar de vacaciones.
- No importa la época del año que sea, uno siempre quiere estar de vacaciones.
- Le gustaría ser muy rico.
- Le encantaría no tener que trabajar.
- Ojalá el jefe le hubiera dado unos largos meses de vacaciones.
- Sería fantástico que su mujer también estuviera libre.
- Ojalá pudieran estar en una playa.
- Jesús, te llaman por la línea 3.
- No me importa quién llame por teléfono, no me voy a poner.
- Ella imagina que puede ser alguien importante, por ejemplo, el jefe.
- Ella hace lo que él quiera, le da igual.
- No le importa lo que haría, el caso es que prefiere estar siempre de vacaciones.
- Si él estuviera sin hacer nada, estaría esperando a que quienquiera que fuera le llamara para hablar con él.

5. Clasifica estas expresiones de acuerdo con el esquema.

	Expresar deseos y esperanzas	Expresar que un hecho no cambiará en ningún caso	Evocar una situación ficticia
Quién fuera...			
Si yo fuera...			
Ojalá fuera...			
Quisiera que...			
Desearía que...			
Me haría ilusión que...			
A ver si...			
Me apetecería que...			
Me encantaría...			
Como tú quieras.			
Donde tú quieras.			
Cuando tú quieras.			
Diga lo que diga...			
Haga lo que haga...			
No me da la gana/me dan ganas de...			
Pongamos que...			
Supongamos que...			
Ponle tú...			
Pon que...			
Imagínate que...			
Imaginemos...			
Imaginaos...			

6 Mira estas fotos y expresa deseos imposibles o que tú consideras muy difícil que se realicen.

1   2   3   4

 7. Aquí tienes diez palabras relacionadas con la comunicación. Encuéntralas y busca sus definiciones.

```
C O R R E O T Z Y K L L O R S T
P Z U G H I L K T T M D Y M Ñ W
V I D E O C O N F E R E N C I A
K S E F J H I J M L L Y W Y L V
C T R D K G K T L E A E R K K A
A M A R G E L E T G N X G Q C M
R Q R C L F J L U R S Z S R T N
T L L B M A M E F A A K T M S R
A L M A S R Q F T M K M C Ñ W B
Q M T N N A W O H A L N H L U A
Y O E X R V V N U D B A C X U E
I M Z Y S W R O P T S Z T A CH C
C O N T E S T A D O R N M F Y Z
```

Ejemplo.   FAX...

8. Imagina y describe la situación en la que podrías decir estas frases.

1. Me hubiera gustado que las cosas fueran de otra manera.
2. Me encanta que hayas hecho lo que has hecho. Dice mucho de ti.
3. Me habría molestado que no lo hubieras hecho. Por eso estoy tan contenta.
4. Nunca me habría podido imaginar que todo acabaría así. ¿No te parece increíble?
5. Quiero que me digas la verdad, que me cuentes tu versión de los hechos.
6. Me preocupa que todavía no haya tomado una decisión. ¿Crees que dirá que no?
7. Me preocuparía que no tomara la decisión correcta, la verdad.
8. Con este chico nunca se sabe. La verdad, preferiría que no hubiera tomado una decisión tan radical y que ahora continuara con nosotros.

9. A decir verdad, las cosas se presentan de tal modo que yo en su lugar habría hecho lo mismo. ¡Quién fuera ella!
10. Me encantó haber empezado como quien no quiere la cosa y haber terminado así. No me arrepiento en absoluto.

 9. Un gran mundo de posibilidades se te abre con el conocimiento de la lengua española y su enorme variedad cultural, económica, geográfica... Aquí tienes, finalmente, nuestro Planet@, hoy en día intercomunicado y accesible. En el mapa puedes ver señalados los países en los que, o bien el español es lengua oficial, o bien lo habla o lo estudia una gran parte de la población.
Ya conoces muchos de esos paisajes y culturas, y tienes mucho tiempo por delante... ¿qué te gustaría hacer en cada uno de ellos? Escríbelo en el lugar correspondiente.

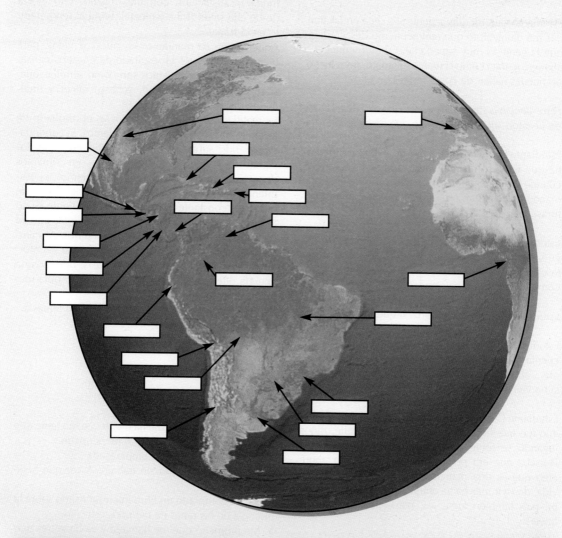

Para ayudarte

Visitar escenarios naturales	Visitar monumentos	Conocer pueblos indígenas
Disfrutar de la gastronomía	Hacer negocios	Estudiar
Practicar actividades deportivas	Pasar la luna de miel	Luchar por una causa
Comunicarte con personas de ese país		

TEMA 1

Órbita 1
Lenguaje coloquial

2. (Pág. 18)

A ver, ¿qué impresiones tienen ustedes sobre la cultura española?

Estudiante A: A mí me encanta, me parece que la gente es muy, muy amable, superabierta.

Estudiante B: Pues a mí la gente me parece bastante seca, sobre todo en los servicios públicos, las tiendas, los bancos.

Estudiante C: A mí que la gente sea seca en las tiendas me da igual, lo que realmente me desagrada es que la gente es muy superficial. Cuando conoces a alguien, te trata como si fueras su amigo, pero luego, no puedes hablar de cosas serias con ellos.

Pero, ¿tenían la misma idea sobre los españoles cuando llegaron aquí, o eso es algo que ha cambiado?

Estudiante D: Bueno, yo, antes de venir aquí pensaba que este era un país muy caótico y, la verdad, cuando llegué aquí me sorprendió ver todo tan organizado, la gente tan profesional, buenas infraestructuras...

Estudiante E: Sí, sí, tienes razón. A mí, cuando llegué, me chocó mucho eso de que la gente cruzara la calle con el semáforo en rojo y pensé que claro, como España es un país muy caótico...

Estudiante C: Venga, Norbert. Ni que fueras alemán.

Estudiante E: No, no, si yo también me he dado cuenta de que no es así, todo tiene su propio sistema... ahora a mí también me parece normal cruzar si no viene ningún coche.

Estudiante C: Lo que más me sorprendió cuando llegué fue que hubiera tanta gente en la calle, niños jugando, personas mayores sentadas en los parques. Pensaba que era por el buen tiempo, pero ahora creo que es una manera diferente de entender la vida, de vivir más hacia afuera... Me gustaría que en mi país también fuera así, pero, ¡qué se le va a hacer!

Estudiante B: A mí me extrañó muchísimo que la gente hablara de una manera tan brusca, no sé... la gente no me decía ni "por favor", ni "gracias"... La verdad es que lo pasé fatal. Menos mal que ya he descubierto que aquí las cosas se expresan de otra forma.

¿Qué echan ustedes de menos? ¿Hay algo que les gustaría que fuera diferente, por ejemplo como en su país?

Estudiante C: Hombre, pues... no sé, quizá me gustaría que la gente fuera más formal, que cuando digan una cosa la hagan, no eso de "te llamo" y luego no te llaman...

Estudiante F: Yo, que vengo de una cultura árabe, echo de menos el calor en la conversación... preferiría que hubiera más contacto físico...

Órbita 2
Lenguaje profesional

2. (Pág. 22)

Detrás del malestar que afecta a la vida profesional de muchas personas, se halla muchas veces una profunda insatisfacción con uno mismo. Esto afecta desde a la salud física y mental, hasta al rendimiento en el trabajo.

Aquello que se manifiesta en nuestras vidas, para bien o para mal, es el resultado de nuestros pensamientos. Los pensamientos son como semillas que, si se cultivan y se cuidan, echarán raíces y finalmente darán frutos.

La realidad que experimentamos es el resultado de la suma total de nuestros pensamientos. Si continuamente nos subestimamos o permitimos que los demás lo hagan, es probable que nos sintamos deprimidos y débiles y que alimentemos pensamientos negativos. Tú eres el centro del universo, que creas constantemente con tu pensamiento. Si no te gusta tu creación, decídete a cambiarla, trabaja para modificarla desde su mismo interior. Al cambiar las actitudes, al esmerarte por observar el entorno desde una perspectiva diferente y brindar una energía diferente, puedes transformar tu propia realidad.

Posees un arma poderosa para hacerlo, tu fantasía.

TIERRA FIRME

UNO

2. (Pág. 26)

1. He ido al médico y me ha dicho que me tiene que hacer más pruebas. Estoy más preocupado...
2. ¿Sabes? Mi mujer está embarazada.
3. Uf, me he quedado sin trabajo. A ver qué hago ahora.
4. Me he comprado un libro interesantísimo sobre la biología de las ranas en periodos estivales.
5. Me prometió que me llamaría y ya hace tres días que no sé nada de él.
6. Han echado a María del trabajo simplemente porque está embarazada.
7. Se han roto las negociaciones con Alberto y no firmamos el contrato. No hay ninguna posibilidad de seguir.
8. Y se quiere comprar una casa de doscientos metros, un coche nuevo, un yate...
9. Estuvo una hora diciéndome que era una incompetente, que no valía para nada. Y yo callada.

10. A ver si todo se arregla y podemos continuar como hasta ahora.

Recuerda. Con el corazón

1. (Pág. 34)

Cuando yo nací, descansé en un lecho de hierba hasta que aprendí a ponerme de pie. En aquella época lo que más me gustaba es que mi madre me diera de comer de sí misma, pero me molestaba que otros quisieran aprovecharse de ella. En cuanto me pude poner de pie, disfrutaba de los espacios amplios, de la vida tranquila, de que nadie nos molestara en nuestra finca. Vivíamos con otros seres como nosotros. A los pocos meses dejé de tomar leche y aprendí a alimentarme sólo de verdura. Yo prefería comer otras cosas, pero donde vivíamos sólo había eso para comer. Cuando cumplí un año, me dolió mucho que me quemaran con un hierro y que por él me identificaran. Un poco después me empezó a doler mucho la cabeza, hasta que, por fin, fui adulta. Hoy paso los días paseando en el campo y por la noche trabajo, pero es un trabajo bien fácil porque yo no tengo que hacer nada.

En autonomía

3. (Pág. 37)

El primer día de colegio me dio mucha pena que mi padre me dejara en la escuela, pero, poco a poco, me fui acostumbrando a que me dejara allí todos los días. En el colegio me divertía mucho. Me gustaba hacer figuras con plastilina, dibujar, hacer manualidades. Me encantaba jugar con mis amigas durante el recreo y que las profesoras fueran tan dulces y agradables conmigo. Me encantaba que mis amigos hicieran fiestas de cumpleaños en las que los padres no nos molestaban.

Más tarde, cuando pasé a la escuela primaria, había cosas más difíciles. Me daba vergüenza que la maestra me regañara delante de toda la clase o que las otras niñas se rieran de mí. Me ponía enferma que siempre me preguntaran a mí la lección, porque, normalmente, no hacía los deberes. Pero me gustaba aprender cosas nuevas.

Cuando mejor lo pasé fue de los catorce a los dieciocho años. Me interesaban muchas de las cosas que hacíamos, como la filosofía, el latín, las matemáticas. Me gustaba mucho que mis profesores me dejaran dar mi opinión. Me sentía muy a gusto con mis compañeros y compañeras de clase. Me reía mucho con ellos.

TEMA 2

Órbita 1
Lenguaje coloquial

2. (Pág. 42)

Belén: Estoy alucinada con mi hijo. Según va creciendo, se parece más y más en la forma de ser a mi familia.

Pepe: ¡Anda, pues claro! Es lo normal, ¿no?

Belén: Bueno, es que no sé si sabes que mi hijo es adoptado...

Pepe: ¿Ah, sí? No tenía ni idea. Pues yo siempre he pensado que el carácter venía más marcado por los genes, pero mira por donde... ¿tú qué dices, Juana?

Juana: O mucho me equivoco, o la cosa no es tan sencilla. Yo soy más bien de la opinión de que somos el producto de muchas cosas: los genes, la educación... pero también en gran medida de los planetas, de nuestro horóscopo. Estoy totalmente convencida de que un Escorpio no es lo mismo que un Leo, por ejemplo.

Pepe: O sea, que lo que tú quieres decir es que, por ejemplo, para ti es más importante el momento en el que has nacido y que existe la predestinación, ¿o qué?

Juana: Bueno, no quería decir eso exactamente. Lo que quiero decir es que estamos marcados por el momento en que hemos nacido... pero también creo que tenemos la capacidad de transformar nuestras circunstancias.

Belén: ¡Qué va! Yo lo único que veo es que mi hijo se desarrolla según yo le educo y lo que él ve a su alrededor. Vamos, que mi madre hasta me llegó a decir el otro día que el niño le recordaba muchísimo a mí cuando era pequeña. Y no te digo nada la gente de la calle, que no sabe que es adoptado... Una señora me llegó a decir que el niño era clavadito a mí. Estoy segurísima de que si a mi hijo, en vez de adoptarlo yo, lo adopta otra persona, el niño sería totalmente diferente.

Pepe: Pues yo no estoy tan seguro. Aunque lo hubiera adoptado otra persona, el niño sería más o menos igual. Al contrario de lo que tú opinas, yo creo que uno es uno en cualquier situación.

Belén: ¡Sí, hombre! Para que te enteres, está demostradísimo que el entorno influye de una manera fundamental en nuestra manera de ser. ¿Es que tú crees que serías el mismo si hubieras nacido en el Polo Norte?

Juana: ¡Con el magnetismo que hay ahí!

delivers store

Pepe: Hombre, aunque tenéis razón en todo lo que estáis diciendo, yo creo que sigue siendo importantísima la herencia genética. Por supuesto, es cierto que todo es importante en la formación de una persona. Sin embargo, los genes son los genes. Además, ahora eso se está estudiando a fondo, y ya lo están manipulando incluso.

Juana: Sí, Dios mío, no cabe duda, pero a mí me dan escalofríos de pensar lo que pueden llegar a hacer o lo que ya han hecho... crear seres a medida, manipular la herencia genética, clonar seres presumiblemente perfectos. ¿Te imaginas otro Pepe? ¡Qué horror!

Pepe: Pues sí, pero imaginaos qué bien si no hubiera ya locos, ni asesinos, ni violencia, o pudieran crear órganos para personas enfermas y...

Juana: Vas descaminado, hijo, de ninguna manera. Por mucho que te empeñes, las cosas no son así, desgraciadamente. ¿Tú no crees que los peligros son mucho más grandes que todas esas ventajas? Imagínate un mundo lleno de Hitlers, o "un mundo feliz" como el de Aldous Huxley...

Órbita 2
Lenguaje profesional

navegador

2. (Pág. 47)

- Cuéntame exactamente el lío este de Microsoft. Tengo que hacer un resumen para *El País Digital* y mi compañero, que es el responsable de estos temas, está enfermo, así que me ha caído una buena... ¿Cómo es la historia? La cosa es que el gobierno de Estados Unidos (les) ha acusado hace unos días de ilegalidades, ¿no?

Microsoft usa → Windows → una sistema operativa

Microsoft

- Sí, claro. La cosa es que la acusación dijo que Microsoft había cometido una ilegalidad al forzar a los consumidores de su sistema operativo, el Windows, a usar su programa de navegación por Internet, ya sabes, el Explorer.

- Pero, ¿por qué hablan de que los forzaron? Yo no lo veo así.

- Hombre, teniendo en cuenta que comenzaron a distribuir su navegador de Internet con el *software* Windows, cuando otras empresas cobraban por un producto similar, la cosa está clara. Los de Netscape dijeron que habían perdido su cuota de mercado por culpa de esa maniobra. El juez dijo claramente que ese era el núcleo de la definición de prácticas monopolistas. O sea, que Microsoft se había aprovechado de un monopolio para crear otro, porque su navegador de Internet es ahora hegemónico, sin duda alguna.

- Bueno, pero Bill Gates se defendió diciendo que su decisión de integrar el navegador en el sistema operativo era algo natural en el desarrollo de la tecnología informática. De modo que mucha gente no lo considera una práctica monopolista.

- Lo que pasa es que esta gente también ha intentado hacer un reparto ilegal del mercado. ¿Tú sabes que Microsoft intentó una práctica ilegal en 1995, con los directivos de Netscape?

- Sí, sí, algo sé.

- En aquel encuentro Bill Gates le dijo a Netscape que no comercializara una versión de su navegador *navigator* para Windows, y que ellos no fabricarían su navegador para otros sistemas operativos que no fuesen el suyo. Te enteraste de lo que dijo el fundador de Netscape después de esa reunión, ¿no?

- Pues, chico, la verdad es que no.

- ¿No? Pues eso te pasa por desinformado. Dijo que el encuentro con Microsoft y Bill Gates había sido como una visita de Don Corleone, porque esperaba encontrarse un monitor sangriento en su cama al día siguiente, imagínate.

- ¡Qué bueno! Así es que le quería extorsionar, ¿no? ¿Y qué respondió Bill Gates a esa acusación?

- Que el encuentro había sido un encuentro entre rivales para debatir nuevas tecnologías. Tú fíjate... El juez dijo también que Microsoft había usado prácticas anticompetitivas para que se distribuyesen más sus productos, que había utilizado su dominio en el mercado de los sistemas operativos para que compañías fabricantes de ordenadores o distribuidoras de servicios de Internet se vieran obligadas por contrato a proporcionar el Explorer y no el navegador de Netscape.

- Sí, eso ya lo había oído. Dijeron que a fuerza de presionar había conseguido que ciertos contenidos de la Red estuvieran diseñados para funcionar mejor en su navegador que en el de la competencia. Pero, claro, Gates respondió que habían sido los consumidores y los fabricantes los que se habían volcado en su navegador, porque estaba integrado en el sistema operativo más extendido en el mundo.

domar fuel

- Bueno, estás enteradísimo. Anda, ayúdame a escribir un buen artículo.

- Como quieras, donde quieras y cuando quieras. Es un tema que me encanta, pero tengo que decirte que yo uso Mac, ¿eh? Así que búscame un ordenador.

- ¡Qué bueno!

TIERRA FIRME

UNO

4. (Pág. 52)

1. - Ven un momento, por favor, es que...
   - ¿Cómo?

- Que vengas.

2. - ¿Dónde está la carpeta verde?
   - ¿Eh?
   - Que si has visto la carpeta verde.
   - ¿Qué?
   - Que dónde está la carpeta verde.

3. - ¿Puedes bajar el volumen de la tele?
   - ¿Qué?
   - Que si puedes bajar el volumen de la tele.
   - Perdona, es que no te oigo.
   - Nada, que bajes el volumen de la tele.

4. - ¿Quieres hacer el favor de estarte quieto?
   - ¿Cómo?
   - Que te estés quieto.

5. - Quiero que me pases esto al ordenador.
   - ¿Perdón?
   - Que si me puedes pasar esto al ordenador.

6. - ¡Haz el favor de escucharme!
   - ¿Cómo?
   - Que me escuches.

7. - ¿Podrías llamarme más tarde?
   - ¿Eh?
   - Que me llames más tarde, que ahora no puedo.

En autonomía

8. (Pág. 64)

- Yo, la verdad, no entiendo por qué hay tanto lío con lo de la inmigración. ¿No están siempre diciendo que la población europea está envejeciendo y que hay poquísimo crecimiento demográfico? Si Europa necesita mano de obra, a mí me parece que una solución sería permitir que los extranjeros vinieran a trabajar.

- Un momento, que no te termino de entender. ¿Lo que quieres decir es que habría que permitir la entrada de millones de personas? ¿No crees que eso no es tan fácil?

- Bueno, no exactamente. Lo que quería decir es que no sé por qué hay tantas restricciones si la realidad es que la inmigración es un hecho positivo. En mi opinión, sería una cosa buena para la economía, para enriquecer nuestra cultura...

- Ya, estoy totalmente convencida de que eso es cierto, pero habría que poner una serie de limitaciones para evitar problemas. Una entrada masiva de inmigrantes provocaría reacciones negativas, por ejemplo.

- O sea, que tú crees que eso es una excusa para frenar la inmigración. Yo pienso que eso no es así: si los gobiernos toman las medidas adecuadas para favorecer la integración de los inmigrantes, no tiene por qué haber problemas.

TEMA 3

Órbita 1
Lenguaje coloquial

1. (Pág. 68)

Si pudiera olvidar
todo aquello que fui,
si pudiera borrar
todo lo que yo vi
no dudaría,
no dudaría en volver a reír.

Si pudiera explicar
las vidas que quité,
si pudiera quemar
las armas que usé
no dudaría,
no dudaría en volver a reír.

Prometo ver la alegría,
escarmentar de la experiencia,
pero nunca, nunca más,
usar la violencia.
(Bis)

Si pudiera sembrar
los campos que arrasé,
si pudiera devolver
la paz que quité,
no dudaría,
no dudaría en volver a reír.

Si pudiera olvidar
aquel llanto que oí,
si pudiera lograr
apartarlo de mí,
no dudaría,
no dudaría en volver a reír.

Prometo ver la alegría,
escarmentar de la experiencia,
pero nunca, nunca más,
usar la violencia.
(Bis)

Órbita 2
Lenguaje profesional

3. (Pág. 74)

A: Señores, señoras, hemos convocado este Consejo para discutir la propuesta de la empresa Pie a tierra, que ya les había comentado brevemente. Se trata de decidir si esta alianza es conveniente o no. Como no tomemos pronto una decisión, se buscarán otro socio, y eso tal vez no nos convendría. Así que, por favor, expongan sus opiniones.

B: Como ya sabéis, por principio no soy muy partidario de este tipo de alianzas. Ahora bien, también soy consciente de nuestras limitaciones y de las tendencias actuales del mercado. Así que, en caso de que posean una capacidad tecnológica superior a la nuestra, unos recursos humanos más desarrollados o una posición privilegiada en el mercado, cosa que no creo, estaría dispuesto a admitirla.

C: Pero hombre, por supuesto que tienen todo esto, si no, no nos lo plantearíamos siquiera. ¿Es que no te has leído el dossier de presentación que nos pasó el Presidente? Toma, aquí lo tienes.

A: Para mí lo importante es su cultura empresarial. Yo no tengo ninguna objeción a la alianza con tal de que tengan unas actitudes y una filosofía semejantes a las nuestras. No vamos a renunciar a nuestra identidad.

C: Eso está claro. Yo creo que estableciendo cuidadosamente unos objetivos comunes, la alianza sería de gran efectividad para los dos.

A: Sí, sí. Por todo esto a mí me parece que la empresa que hemos elegido es la ideal para esta alianza. Bueno, excepto que no acepten las cláusulas del contrato de reparto de la producción. Ellos zapatos de hombre y nosotros, de mujer.

B: Sí, lo que pasa es que como no nombremos a un coordinador o mediador que pueda hacer frente a posibles conflictos, estamos perdidos. Estas cosas son muy delicadas.

C: Siempre que las cosas estén muy claras desde el principio, no veo que haya ningún problema.

B: Eh, y siempre y cuando el reparto de beneficios entre las empresas esté bien establecido.

A: Bueno, señores, creo que hemos tocado todos los puntos que hay que estudiar. Formaremos unas comisiones que estudien esos temas y la semana que viene tomaremos la decisión.

TIERRA FIRME

UNO

1. (Pág. 78)

1. - Oye, Óscar...
   - Dime.
   - ¿A ti te parece buena idea que...?

2. - Perdona, Jorge.
   - ¿Sí?
   - Es que quería hablar contigo sobre...

3. - Disculpe, ¿sabe si hay una comisaría por aquí?

4. - Oiga, por favor.
   - Sí, dígame.
   - ¿Podría decirme dónde está la Sala de Juntas?

5. - Perdone, Sra. García.
   - Sí, dígame.
   - Quería hacerle una consulta....

6. - Perdóname, María, es que tengo que hablar contigo antes de irme.
   - Dime.
   - Mira, es que quería...

7. - Discúlpeme, Ricardo, es que tengo una duda.
   - ¿Sí?
   - He estado viendo estos documentos y...

8. - Oye, Carmen.
   - Espera un momento.

9. - Alicia...
   - Perdona, ahora no puedo.

10. - Perdona, Rafa...
   - Qué...

DOS

1. (Pág. 79)

1. - ¿Has terminado el trabajo?
   - ¡Qué va! Todavía me falta un poco.

2. - ¿Has terminado el trabajo?
   - No, no he terminado el trabajo. Es la cuarta vez que me lo preguntas.

3. - ¿Llevas mucho tiempo viviendo aquí?
   - Sí.

4. - ¿Llevas mucho tiempo viviendo aquí?
   - ¡Uy, sí! Más de siete años.

5. - ¿Vas a volver pronto?
   - Sí, voy a volver pronto. Ya te lo he dicho.

6. - ¿Vas a volver pronto?
   - Sí, sobre las diez estaré aquí.

7. - ¿Edad?
   - 33 años.
   - ¿Trabaja?
   - Sí.

8. - Oye, ¿tú trabajas?
   - Sí, estoy en una empresa de ordenadores.

9. - Oye, Manuel, ¿te gusta el fútbol?
   - Pues... la verdad es que no me gusta mucho.

10. - Oye, Manuel, ¿te gusta el fútbol?
   - No.

En autonomía

5. (Pág. 89

1. - Oye, ¿quién me puede dejar un ordenador?
   - Yo, excepto que no venga José, no puedo. Se lo he prometido a él.
   - Hombre, yo, con tal de que no tardes mucho...
   - Si lo necesitas, te lo dejo yo.

2. - ¿Me podéis dejar diez mil pesetas? Es que me he venido sin dinero.
- Si me hubiera traído la cartera... Pero, chico, tengo tan mala cabeza...
- La verdad, me viene fatal. En caso de que no encuentres a nadie, te las dejo, pero me viene fatal.
- Bueno, yo te las dejo, pero con tal de que me las devuelvas mañana. Ya sabes que ando fatal de dinero.

3. - ¿Quedamos mañana a las siete?
- Vale, pero como llegues tarde como siempre, me voy, ¿eh? Que me voy.
- Ay, pues a mí también me encantaría, pero excepto que se anule mi examen, no puedo ir.

4. - Vale, entonces, vamos a la Amazonía de vacaciones.
- Vale, siempre que me garantices que no me van a picar todos los mosquitos.
- Hijo, ¡qué exagerado eres! Vamos, de ser verdad lo que me cuentan, tampoco hay tantos mosquitos.

TEMA 4

Órbita 1
Lenguaje coloquial

2. (Pág. 94)

- ¿Diga?

- Hola, papá, ¿qué tal?

- Pues nada, hija, aquí estamos... Dime.

- Nada, es que quería invitar a unos amigos a cenar y quería hacer gazpacho, y como tú eres el especialista y te sale tan rico...

- Hombre, claro, es que uno tiene muchos años de práctica. ¿Tienes algo para apuntar?

- Sí.

- Pues venga, primero majas el ajo...

- ¿Qué es eso de majar? No lo he oído en mi vida.

- Pues empezamos bien... nada, que pones un diente de ajo en el mortero... eso sabes lo que es, ¿no?

- Sí, papi.

- Bueno, pues lo machacas, y cuando esté bien machacado le pones un poquito de aceite... ¡ah! y le añades la miga de pan mojada, o sea, que antes tienes que haber puesto en remojo un trozo de pan. ¡Ah, y perdona! Con el ajo tienes que majar también un trocito de pimiento verde y un trozo de pepino.

- Un momento, un momento: ¿cuánto de cada cosa?

- Uy, pues no sé... un diente de ajo, la mitad de un pimiento grandecito, cuarto de una barra de pan y un trocito de pepino... no sé, más o menos.

- Vale.

- Bueno, pues toda esa pasta, o sea, el ajo majado con el pimiento, el pepino, el pan y el aceite... eh, el aceite tiene que ser virgen, del bueno...

- Claro, claro.

- Pues lo dejas aparte para que se macere. Y mientras tanto pelas los tomates, tomates bien rojitos, y cómpralos buenos, porque esa es la base de un buen gazpacho.

- ¿Cuántos compro?

- Pues no sé, ¿cuántos sois?

- Seis.

- Pues... dos kilos, creo yo.

- Vale.

- Pelas los tomates y los pasas por el pasapuré.

- ¿No lo puedo hacer en la turmix?

- Tú verás, pero sale mejor en el pasapuré.

- Bueno, vale.

- Y según los vas pasando, vas añadiendo lo que hay en el mortero. Y te recomiendo que lo pases dos veces, para que te quede fino.

- ¡Puf! ¡Vaya trabajo!

- Espera, que todavía tienes que añadir, al final, vinagre y sal. Y algunos añaden también un poco de comino, aunque yo prefiero añadir orégano, pero eso va en gustos.

- No tengo ni lo uno ni lo otro, así que...

- Luego lo pones en un bol, le añades unos cubitos de hielo, y a la nevera, o sea, que lo tienes que hacer dos horas antes de la cena.

- Oye, pero tú también pones unas bandejitas con trocitos para añadir, ¿no?

- Ah, sí, claro, tienes que picar cebollita, pimiento, pepino, tomate, trocitos de pan: los pones en bandejitas y cada uno se sirve lo que quiera. Y además queda muy decorativo. Ya sabes que la presentación es muy importante.

- Muy bien, pues me voy a hacer la compra, que tengo mucho trabajo por delante.

- Les pondrás algo de segundo, ¿no?

- Sí, una pizza de Telepizza.

- ¡Qué horror! Bueno, hija, tú verás. Hala, que te salga bien.

- Dale un beso a mamá de mi parte. Hasta luego y gracias.

- Adiós.

Órbita 2
Lenguaje profesional

3. (Pág. 101)

La historia de Freixenet

Alrededor de 1860, Francesc Sala i Ferrés fundó la Casa Sala, la primera marca exportadora de vinos en San Sadurní D'Anoia. Más tarde, su hijo Joan Sala i Tubella siguió con el negocio. Después de emparentar con la familia Ferrer i Bosch, empezaron con el negocio del cava. Ya llevaban cincuenta años elaborando vinos en la comarca del Penedés. El negocio se fue ampliando y empezaron a aparecer las primeras etiquetas de cava con la marca Freixenet Casa Sala.

Hoy en día, es Josep Ferrer i Sala quien sigue la larga tradición de vinos y cavas.

Desde el primer momento, optaron por elaborar exclusivamente cava, un vino espumoso natural, siguiendo el método utilizado en la Champagne francesa desde hacía un par de siglos. Las cavas se instalaron en San Sadurní D'Anoia, una población situada en el corazón de la comarca del Penedés. Esta región ya era conocida desde la época del Imperio Romano por la calidad de sus vinos.

Hacia los años veinte, el impulso de los fundadores y la seguridad en la calidad de sus productos, ya había dado fama a la empresa. En aquellos momentos, se iniciaron gestiones destinadas a situarla en los mercados exteriores. El primer establecimiento en los Estados Unidos (New Jersey) data de 1935. La Guerra Civil española y la Segunda Guerra Mundial ralentizaron el desarrollo de la empresa; sin embargo, cuatro años antes de que terminara la Guerra Mundial, se lanzó el que con el tiempo se convertiría en uno de sus productos estrella: el cava Carta Nevada. Treinta y tres años después, en 1974, se lanzó el cava Cordón Negro, líder en exportación.

A principios de los setenta, con la marca Freixenet totalmente consolidada en el mercado español, se intensificaron las gestiones para llegar a los mercados internacionales. Ya desde 1956 se había apostado por la internacionalización. Si no hubieran optado por ese camino, hoy Freixenet sería una empresa familiar, pequeña y con implantación exclusiva en el territorio español. Sin embargo, de momento, venden a 141 países y poseen el 57,6 % de la cuota española de exportación de cava. Hasta el momento tienen trece filiales en el extranjero y tres bodegas elaboradoras en Francia, California y México. En la actualidad, Freixenet es la marca española más distribuida en todo el mundo.

TIERRA FIRME

DOS

4. (Pág. 107)

1. - No te pongas así.
   - ¡Y cómo me voy a poner, si es la quinta vez que me dice lo mismo!
2. - Tienes que terminarlo para mañana.
   - ¡Y cuándo lo voy a hacer! No tengo ni un minuto.
3. - Anda, arréglame esto.
   - ¡Pero con qué lo voy a arreglar! Ya no queda pegamento.
4. - Bueno, voy a ordenar la habitación.
   - ¡Pero dónde vas a poner las cosas, si todavía no han traído los muebles!
5. - Tenemos que entregar el trabajo mañana.
   - ¡Pero quién va a hacerlo! Si estamos todos liadísimos.

En autonomía

1. (Pág. 116)

1. Bueno, vamos a ver qué hay que hacer con la lavadora.

2. Yo te leo. Mira, aquí pone que antes de meter la ropa hay que cerrar la puerta, seleccionar el programa que se desea y apretar el botón de puesta en marcha.

3. Eso no puede ser.

4. No sé, aquí pone eso. Dice que pongas el jabón en el compartimento después de que se inicie el programa de secado.

5. ¿Seguro?

6. Sí, sí. También dice que es bueno abrir la lavadora mientras esté funcionando para comprobar que hay suficiente agua en el tambor.

7. ¡Venga ya!

8. Que sí, que eso pone. Además dice que antes de que termine el programa completo hay que desenchufar la lavadora de la red para ahorrar energía. Una media hora antes.

9. Ya, se lo cree su tía.

10. Pues si lo dicen ellos, será verdad, ¿no? Que después del lavado y cuando se haya sacado la ropa limpia, hay que dejar la puerta de la lavadora abierta para que se airee y que no se vuelva a cerrar hasta que no se lave otra vez. Ah, y que antes de cada lavado hay que fregar bien la lavadora, y en especial el interior, para que quede todo muy limpio.

11. Mira, esto es una auténtica tontería, no puede ser lo que me dices, nos están tomando el pelo descaradamente. Mejor llamo a alguien que me lo explique y ya está.

TEMA 5

Órbita 1
Lenguaje coloquial

7. (Pág. 124)

Vivir sin aire

Cómo quisiera
poder vivir sin aire,
cómo quisiera
poder vivir sin agua.

Me encantaría
quererte un poco menos,
cómo quisiera
poder vivir sin ti.

Pero no puedo,
siento que muero,
me estoy ahogando sin tu amor.

Cómo quisiera
poder vivir sin aire,
cómo quisiera
calmar mi aflicción.

Cómo quisiera
poder vivir sin agua,
me encantaría
robar tu corazón.

Cómo pudiera
un pez nadar sin agua,
cómo pudiera
un ave volar sin alas.

Cómo pudiera
la flor crecer sin tierra,
cómo quisiera
poder vivir sin ti.

Pero no puedo,
siento que muero,
me estoy ahogando sin tu amor.

Cómo quisiera
poder vivir sin aire,

cómo quisiera
calmar mi aflicción.

Cómo quisiera
poder vivir sin agua,
me encantaría robar tu corazón.

Cómo quisiera
lanzarte al olvido,
cómo quisiera
guardarte en un cajón.

Cómo quisiera
borrarte de un soplido,
me encantaría
matar esta canción.

Órbita 2
Lenguaje profesional

5. (Pág. 129)

RRHH: ¿Puede explicarnos cómo percibe usted la comunicación en su empresa?

Directivo: Pues mire, si yo leo y respondo a todas las notas internas, asisto a todas las reuniones para examinar nuevas políticas, participo en todos los cursos de formación que se me piden, haga lo que haga, no llego a poder realizar mis tareas, sean cuales sean. A menudo se nos sobrecarga con demasiada información, y, digan lo que digan los responsables del Departamento de Formación, esto conduce a una parálisis en el trabajo.

RRHH: Supongamos que no tuviera usted que responder personalmente a todos los mensajes, que pudiera delegar una parte de sus comunicaciones en otra persona, digamos en un colaborador cualificado.

Directivo: Bueno, de hecho, ya hemos tenido varios colaboradores así, pero era tal el volumen de mensajes que llegaban en papel impreso -correos electrónicos, mensajes al buzón de voz, etc-, que fuera quien fuera la persona encargada no tenía más remedio que responder solamente a algunos de ellos. Y, claro, eran inexpertos en estas cuestiones y, por lo tanto, no sabían discriminar con claridad. Esto dio lugar a veces a muy costosos errores.

RRHH: Imagínese que nuestro departamento desarrolla un sistema para coordinar la difusión de los mensajes, sean del tipo que sean, para que los receptores tengan tiempo para procesarlos y no se acumulen y dupliquen sin sentido.

Directivo: Sí, me parecería interesante... cuando quieran... Sin embargo, también me parecería conveniente desarrollar fuentes de información comunes. Imagine que en lugar de docenas de boletines, notas internas y otro tipo de comunicación, la información con un contenido afín se pudiera agrupar y distribuir de manera global, por ejemplo a través de un correo electrónico de información actualizada, las páginas de intranet o un tablón de anuncios...

RRHH: Sea cual sea el sistema de comunicación interna que elijan, lo importante es que todos los empleados compartan la misma información y tengan claro cuál es la filosofía de la empresa. Hay que conseguir que todos los actos de comunicación externa se ajusten a los criterios del banco. Para ello es importante que, pongamos, se realicen auditorías internas y externas, que todo el personal de atención al público entienda los mensajes de marketing que se envían a los clientes y que la comunicación sea efectiva.

TIERRA FIRME

DOS

1. (Pág. 137)

1. - Yo creo que debemos comprar este: es más rápido, es más barato, el color es mucho más bonito, la forma…
- Bueno, bueno.

2. - ¿Lo entiendes? Mira, por una parte, no voy a arriesgarme a que me diga que no, por otra, no tengo ganas de tener una conversación personal con ella. Además, estoy de mal humor y…
- Vale, vale.

3. - ¿No te acuerdas? Si estuvimos hace años allí, que fuimos con el coche de mis padres. Era una casita blanca, con azulejos en la entrada…
- Ah, sí, sí, sí, sí.

4. - Vamos a empezar la reunión a las seis.
- Bueno, bueno, bueno, ¿no será demasiado tarde?

5. - A las tres habremos terminado.
- Sí, sí… Con lo que hay que hacer...

Recuerda. Con el corazón

1. (Pág. 144)

En el país del español existe una curiosa pareja, que, como todas las parejas bien avenidas, es totalmente complementaria. Juntos son capaces de hacer mil cosas y se necesitan para casi todo. Digo casi todo porque a veces funcionan por separado, cada uno sigue su camino, a veces le toca trabajar a uno y a veces a otro. Digamos que están siempre preparados para saltar en la estructura de la frase cuando les toque.

Don Indicativo, es, como su propio nombre expresa, una persona que indica, informa, opina, explica, aclara, dice, afirma. Es alguien con mucho carácter y con una visión objetiva de las cosas. No se pierde en sentimentalismos ni en cuestiones afectivas,

llama al pan, pan, y al vino, vino. Eso sí, se adentra con gran facilidad no sólo en el presente, en lo que ocurre y está ocurriendo, sino en el terreno del pasado; digamos que es nostálgico: le gusta hablar de los países que ha visitado, de las personas que ha conocido, de lo que hizo, había hecho y hacía, es decir, le encanta hablar de lo que ha experimentado.

Don Subjuntivo, por el contrario, es un tipo de carácter inestable, que siempre depende de la subordinación a factores externos; es muy raro verle solito por ahí. Sus estados de ánimo son siempre cambiantes, y le llevan a valorar, juzgar, reaccionar, influir sobre otros, desear, hacer hipótesis con gran ardor y entusiasmo. Desde luego, es una persona que no te deja indiferente, siempre despierta pasiones. Le gusta hablar de lo que no ha visto ni ha conocido, es decir, se adentra casi siempre en el terreno del futuro, de lo deseado, de lo hipotético: de lo que fuera o fuese, hubiera sido, haya sido o sea.

En autonomía

1. (Pág. 146)

- Ah, no puedo más, estoy agotado. ¡Quién estuviera de vacaciones!

- ¿En febrero?

- ¿Qué más da? Sea la época que sea, cualquier lugar mejor que la oficina.

- Ya empezamos. O sea, que lo que más te gustaría del mundo sería tener vacaciones eternas.

- ¡Quién fuera rico y pudiera dejar esta tortura!

- Vamos, chico, no es para tanto. A todos nos llegan las vacaciones.

- No, si tienes razón, pero cómo me gustaría que el jefe nos hubiera dado unos largos meses de vacaciones, que mi mujer también estuviera libre y que toda la familia pudiéramos estar tumbados en una playa sin otra cosa que hacer que oír el mar.

- Jesús, te llaman por la línea 3.

- ¿Lo ves?, si es que no puede ser. Para un ratito que uno se toma para soñar... Pues ¿sabes lo que te digo?, que no lo cojo. Sea quien sea, estoy en mi pausa del cafelito y paso.

- Hombre, a ver si va a ser algo importante. Supón que es el jefe que quiere darte vacaciones.

- Ya, como si eso pasara.

- Jesús, que si te pones...

- Que no.

- Que es del banco.

- Que he dicho que no, que luego le llamo.

- Bueno, como tú quieras, pero luego no me vengas con historias.

- Puf, cómo me gustaría mandarlo todo a la porra.

- Venga, Jesús. A ver, ¿qué harías tú todo el día sin hacer nada?

- No sé, lo que fuera.

- Ya, todo el día mano sobre mano esperando que alguien, fuera quien fuera, por pesado que fuera, te llamara y te sacara de tu aburrimiento.

- Mujer...

- Y luego, que si te aburres, que vamos a hacer algo juntos, lo que sea, que si...

- Hija, ¡qué dramática te pones! Total, si sólo era un comentario tonto.

- Ya, pero es que te pasas el día igual.

- Bueno, ya verás como cambio. Julia, anda, pásame al del banco...

- Sí, hombre, como si el del banco le estuviera esperando todo el día al señor...

glosario

@

Llegar ....
Llevar ....
Lluvia (la) ....
Loco/a ....
Locura (la) ....
Lograr ....
Lugar (el) ....
Lunático/a ....
Luz (la) ....

M

Machista ....
Maduro/a ....
Maestro/a (el, la) ....
Mágico/a ....
Malestar (el) ....
Mandar ....
Manera (la) ....
Manifestar ....
Mano (la) ....
Mantener ....
Mantenimiento (el) ....
Manualidad (la) ....
Manuscrito (el) ....
Mar (el) ....
Marca (la) ....
Martillo (el) ....
Matemáticas (las) ....
Mechón (el) ....
Médico/a (el, la) ....
Medio (el) ....
Memoria (la) ....
Mental ....
Mente (la) ....
Mentir ....
Mentira (la) ....
Mercería (la) ....
Merecer ....
Mes (el) ....
Meta (la) ....
Metáfora (la) ....
Metodología (la) ....
Metro (el) ....
Miembro (el, la) ....
Miniaturista (el, la) ....
Mirar ....
Mitología (la) ....
Modalidad (la) ....
Modelo (el) ....
Moderno/a ....
Modificar ....
Molestar ....
Momento (el) ....
Monje/a (el, la) ....
Montaña (la) ....
Montañoso/a ....
Morir ....
Moro/a ....
Mostrar ....
Móvil ....
Mujer (la) ....
Mundo (el) ....
Músico/a (el, la) ....

N

Nacer ....
Naranjal (el) ....
Naranjo (el) ....
Naturaleza (la) ....
Navegación (la) ....
Necesitar ....
Negativo/a ....
Nervadura (la) ....
Nevera (la) ....
Nieve (la) ....
Niñez (la) ....
Niño/a (el, la) ....
Nivel (el) ....
Nombre (el) ....
Normal ....
Nota (la) ....
Notable ....
Novela (la) ....
Novelista (el, la) ....
Novio/a (el, la) ....
Nuevo/a ....

O

Objeto (el) ....
Obra (la) ....
Obsesión (la) ....
Obtener ....
Ocio (el) ....
Odio (el) ....
Oficial ....
Oficina (la) ....
Oficio (el) ....
Oír ....
Oliva (la) ....
Olivo (el) ....
Opinar ....
Opinión (la) ....
Óptimo/a ....
Oración (la) ....
Ordenador (el) ....
Ordenar ....
Organigrama (el) ....
Organismo (el) ....
Organizado/a ....
Origen (el) ....
Orilla (la) ....

P

Paella (la) ....
País (el) ....
Paisaje (el) ....
Pájaro/a (el, la) ....
Palabra (la) ....
Paloma (la) ....
Panadería (la) ....
Papel (el) ....
Parada (la) ....
Parecer ....
Parecido/a ....
Pared (la) ....
Pareja (la) ....
Parque (el) ....
Participante (el, la) ....
Pasar ....
Pasear ....
Paseo (el) ....
Paso (el) ....
Pasta (la) ....
Pedagógico/a ....
Pedir ....
Película (la) ....
Pena (la) ....
Pensamiento (el) ....
Pensar ....
Pequeño/a ....
Perder ....
Perdición (la) ....
Perfecto/a ....
Perfil (el) ....
Periodo (el) ....
Permitir ....
Persona (la) ....
Perspectiva (la) ....
Pétalo (el) ....
Piedad (la) ....
Pintor/-a (el, la) ....
Piso (el) ....
Planeta (el) ....
Plantilla (la) ....
Plastilina (la) ....
Playa (la) ....
Pluma (la) ....
Poder ....
Poderoso/a ....
Poema (el) ....
Poesía (la) ....
Poeta (el, la) ....
Poético/a ....
Policía (la) ....
Polvo (el) ....
Poner ....
Popular ....
Portero/a (el, la) ....
Poseer ....
Posibilidad (la) ....
Positivo/a ....
Postal (la) ....
Precio (el) ....
Preferido/a ....
Preferir ....
Preguntar ....
Premio (el) ....
Preocupación (la) ....
Preocupado/a ....
Presentar ....
Prestar ....
Presupuesto (el) ....
Previsto/a ....
Primario/a ....
Primavera (la) ....
Principio (el) ....
Prisa (la) ....
Privado/a ....
Probable ....
Proceso (el) ....
Producción (la) ....
Producir ....
Producto (el) ....
Profesional ....
Profesor/-a (el, la) ....
Profundo ....
Prometer ....
Promoción (la) ....
Protagonista (el, la) ....
Proveedor/-a (el, la) ....
Prueba (la) ....
Psicólogo/a (el, la) ....
Publicidad (la) ....
Público/a ....
Pueblo (el) ....
Puesto (el) ....
Punta (la) ....
Puntualidad (la) ....

Q

Quedar ....
Quemar ....
Querer ....

R

Rabia (la) ....
Radiante ....
Raíz (la) ....
Ramo (el) ....
Rana (la) ....
Rayo (el) ....
Razón (la) ....
Reacción (la) ....
Reaccionar ....
Real ....
Realidad (la) ....
Realizar ....
Recado (el) ....
Receptivo/a ....
Recibir ....
Recomendar ....
Recopilar ....
Recordar ....
Recreo (el) ....
Recuerdo (el) ....
Recurrente ....
Recurso (el) ....
Reducir ....
Referir ....
Reflejar ....
Reforzar ....
Regalar ....
Regañar ....
Regional ....
Reino (el) ....
Reír ....
Relacionar ....
Relajado/a ....
Relatividad (la) ....
Rellenar ....
Remar ....
Remuneración (la) ....
Rendimiento (el) ....
Representación (la) ....
Representar ....
Reproducción (la) ....
Residencia (la) ....
Resignación (la) ....
Responsabilidad (la) ....
Responsable ....
Respuesta (la) ....
Restaurante (el) ....
Resultar ....
Reventar ....
Revisar ....
Río (el) ....
Rodear ....
Romper ....
Rosa (la) ....
Rostro (el) ....
Rueda (la) ....

S

Saber ....
Sacar ....
Salir ....
Salud (la) ....
Sangre (la) ....
Satisfacción (la) ....
Satisfacer ....
Seco/a ....
Secretaría (la) ....
Secretario/a (el, la) ....
Seda (la) ....
Seguir ....
Seleccionar ....
Semáforo (el) ....
Semana (la) ....
Semejante ....
Semilla (la) ....
Sentado/a ....
Sentimental ....
Sentimiento (el) ....
Sentirse ....
Señalar ....
Separar ....
Ser (el) ....
Serie (la) ....
Servicial ....

Servicio (el) ....
Seso (el) ....
Siesta (la) ....
Siglo (el) ....
Significado (el) ....
Significar ....
Signo (el) ....
Silla (la) ....
Simpatía (la) ....
Simpático/a ....
Síntoma (el) ....
Sistema (el) ....
Situación (la) ....
Sobresalto (el) ....
Solazarse ....
Soledad (la) ....
Soler ....
Solicitar ....
Sombra (la) ....
Sometido/a ....
Sonreír ....
Sonrisa (la) ....
Soñar ....
Soplete (el) ....
Sorprender ....
Sorpresa (la) ....
Subestimar ....
Sublimación (la) ....
Suficiente ....
Sugerente ....
Sugerir ....
Suma (la) ....
Superficial ....
Superficialidad (la) ....
Superior ....
Surrealismo (el) ....
Surrealista ....
Suspiro (el) ....

T
Taladradora (la) ....
Taller (el) ....
Tango (el) ....
Tarde (la) ....
Teatro (el) ....
Técnica (la) ....
Tejer ....
Teléfono (el) ....
Televisión (la) ....
Temor (el) ....
Tener ....
Teoría (la) ....
Terminar ....
Tesis (la) ....
Texto (el) ....
Tiempo (el) ....
Tienda (la) ....
Tierno/a ....
Tierra (la) ....
Tipo (el) ....
Tomar ....
Torero/a (el, la) ....
Tormenta (la) ....
Tormento (el) ....
Torre (la) ....
Tos (la) ....
Total ....
Trabajar ....
Trabajo (el) ....
Tranquilidad (la) ....
Transcurrir ....
Transformar ....
Transitorio/a ....
Trastienda (la) ....
Tratar ....
Tren (el) ....
Trenza (la) ....
Trigo (el) ....
Tristeza (la) ....
Trizas (las) ....

U
Ubicar ....
Unidad (la) ....
Unirse ....
Universal ....
Universidad (la) ....
Universitario/a ....
Universo (el) ....
Uso (el) ....
Útil ....
Utilizar ....

V
Vacaciones (las) ....
Vacío/a ....
Valer ....
Valioso/a ....
Valle (el) ....
Valoración (la) ....

Valorar ....
Vegetal (el) ....
Vencer ....
Vendedor/-a (el, la) ....
Vender ....
Venir ....
Venta (la) ....
Ventana (la) ....
Ver ....
Verdad (la) ....
Verdura (la) ....
Vergüenza (la) ....
Verso (el) ....
Vez (la) ....
Viajar ....
Viaje (el) ....
Vicioso/a ....
Vida (la) ....
Viento (el) ....
Vigilancia (la) ....
Vinculado/a ....
Virtual ....
Vivir ....
Volar ....
Volumen (el) ....
Volver ....

Y
Yate (el) ....

Z
Zona (la) ....

TEMA 2
A
Abogado/a (el, la) ....
Absoluto/a ....
Aceptarse ....
Activo/a ....
Actualidad (la) ....
Acuerdo (el) ....
Acusación (la) ....
Acusado/a ....
Adentrarse ....
Adjetivo (el) ....
Administrativo/a ....
Adoptado/a ....
Adoptar ....
Adquirir ....
Aducir ....
Ahorrar ....
Altiplano (el) ....
Alto/a ....
Alucinado/a ....
Ambiente (el) ....
Ámbito (el) ....
Análisis (el) ....
Anticompetitivo/a ....
Antiguo/a ....
Aprendizaje (el) ....
Aprovechado/a ....
Archivo (el) ....
Artículo (el) ....
Asesino/a (el, la) ....
Astilla (la) ....
Avanzar ....

B
Bandeja (la) ....
Barón/baronesa (el, la) ....
Bastón (el) ....
Batallón (el) ....
Borrador (el) ....
Breve ....
Brillar ....
Brote (el) ....

C
Caballería (la) ....
Caber ....
Canal (el) ....
Cansado/a ....
Carpeta (la) ....
Causa (la) ....
Cerro (el) ....
Cetro (el) ....
Chico/a (el, la) ....
Ciencia (la) ....
Cierto/a ....
Circunstancia (la) ....
Civilización (la) ....
Civilizar ....
Clavado/a ....
Clonación (la) ....
Clonar ....
Cobrar ....
Cocinar ....
Comercial ....
Comercializar ....
Cometido (el) ....

Compañía (la) ....
Componer ....
Comportamiento (el) ....
Concierto (el) ....
Conclusión (la) ....
Conducir ....
Conectarse ....
Conflicto (el) ....
Connotación (la) ....
Consecuencia (la) ....
Conseguido/a ....
Consejo (el) ....
Consentir ....
Consideración (la) ....
Conspiración (la) ....
Consumidor/-a (el, la) ....
Contabilidad (la) ....
Contener ....
Contrario/a ....
Contratar ....
Convencer ....
Convencido/a ....
Coordinador/-a (el, la) ....
Copiar ....
Corrección (la) ....
Coser ....
Cráter (el) ....
Crecer ....
Crecimiento (el) ....
Criar ....
Cuerpo (el) ....
Culpa (la) ....
Culto/a ....
Cuna (la) ....
Cuota (la) ....

D
Debatir ....
Defender ....
Demográfico/a ....
Demostrado/a ....
Denominar ....
Desaparecer ....
Desaparición (la) ....
Desarrollar ....
Desarrollo (el) ....
Descaminado/a ....
Desconocer ....
Desenvolverse ....
Desgraciado/a ....
Deshacer ....
Deshielo (el) ....
Desinformado/a ....
Destino (el) ....
Diplomático/a ....
Directivo/a (el, la) ....
Discusión (la) ....
Discutir ....
Diseñado/a ....
Disponer ....
Disponibilidad (la) ....
Disposición (la) ....
Distribuidora (la) ....
Dominio (el) ....
Dotar ....

E
Economía (la) ....
Ejército (el) ....
Elección (la) ....
Eliminar ....
Emerger ....
Empeñarse ....
Enfadarse ....
Enfermar ....
Enriquecer ....
Enseñar ....
Enterarse ....
Entrada (la) ....
Entrevista (la) ....
Envejecer ....
Equivocarse ....
Escalofrío (el) ....
Escribir ....
Escuchar ....
Específico/a ....
Espuma (la) ....
Estar ....
Ética (la) ....
Evitar ....
Exacto/a ....
Exclusivo/a ....
Experiencia (la) ....
Explicación (la) ....
Extendido/a ....
Extorsionar ....

F
Fabricante (el, la) ....
Fabricar ....

@

Factor (el) ....
Falta (la) ....
Familia (la) ....
Familiar ....
Fase (la) ....
Favorecer ....
Feliz ....
Figurar ....
Fijarse ....
Filósofo/a (el, la) ....
Finanzas (las) ....
Fomentar ....
Formar ....
Forzar ....
Frenar ....
Fuente (la) ....
Fuerza (la) ....
Fundación (la) ....
Fundador/-a (el, la) ....
Fundamental ....
Futuro (el) ....
Futuro/a ....

G

Gen (el) ....
Genética (la) ....
Glacial ....
Gobierno (el) ....
Guardar ....

H

Habitante (el, la) ....
Harto/a ....
Hegemónico/a ....
Herencia (la) ....
Histérico/a ....
Hogar (el) ....
Horóscopo (el) ....
Horror (el) ....
Huir ....
Hundir ....

I

Idioma (el) ....
Ilegal ....
Ilegalidad (la) ....
Imperio (el) ....
Implantar ....
Implementación (la) ....
Implicación (la) ....
Implicar ....
Imponer ....
Imprevisto/a ....
Imprimir ....
Incompetencia (la) ....
Incorporación (la) ....
Indirecto/a ....
Indisciplinado/a ....
Individualidad (la) ....
Infantería (la) ....
Influír ....
Informal ....
Informática (la) ....
Informe (el) ....
Inicio (el) ....
Inmigración (la) ....
Inmigrante (el, la) ....
Inquietud (la) ....
Instalarse ....
Integración (la) ....
Integrado/a ....
Integrar ....
Intentar ....
Interés (el) ....
Interpretar ....
Interrelacionar ....
Isla (la) ....

J

Juez/-a (el, la) ....
Justificación (la) ....
Juzgar ....

L

Lago (el) ....
Lavar ....
Lengua (la) ....
Limitación (la) ....
Línea (la) ....
Lío (el) ....
Llegada (la) ....
Llover ....
Lógico/a ....

M

Magnetismo (el) ....
Magnífico/a ....
Maniobra (la) ....
Manipular ....
Marcado/a ....
Marchar ....
Masculino/a ....
Masivo/a ....
Mejorar ....
Militar ....
Millón (el) ....
Misa (la) ....
Misterio (el) ....
Mitad (la) ....
Mobiliario (el) ....
Modo (el) ....
Monitor/-a (el, la) ....
Monopolio (el) ....
Monopolista ....
Montar ....
Morir ....
Motivar ....

N

Nacido/a ....
Natural ....
Navegador (el) ....
Necesario/a ....
Necesidad (la) ....
Nobiliario/a ....
Núcleo (el) ....

O

Obligación (la) ....
Obligado/a ....
Oído (el) ....
Olvidar ....
Operativo/a ....
Órgano (el) ....
Oro (el) ....

P

Palo (el) ....
Pantalla (la) ....
Partido (el) ....
Partir ....
Pasado (el) ....
Pedir ....
Pegar ....
Peligro (el) ....
Pendiente ....
Penoso/a ....
Perdido/a ....
Perdonar ....
Personal ....
Personificación (la) ....
Petición (la) ....
Plataforma (la) ....
Plato (el) ....
Población (la) ....
Poblador/-a (el, la) ....
Polo (el) ....
Portarse ....
Posible ....
Práctica (la) ....
Predestinación (la) ....
Predominio (el) ....
Preliminar ....
Preocupar ....
Presionado/a ....
Presionar ....
Presumible ....
Pretexto (el) ....
Previo/a ....
Problema (el) ....
Profesionalidad (la) ....
Programa (el) ....
Programación (la) ....
Proporcionar ....
Provocar ....
Próximo/a ....
Proyecto (el) ....

Q

Quieto/a ....

R

Rápido/a ....
Razonamiento (el) ....
Rebelde ....
Reconocer ....
Recorrido (el) ....
Redactar ....
Reflejo (el) ....
Reforma (la) ....
Registro (el) ....
Reino (el) ....
Remoto/a ....
Reparto (el) ....
Repetido/a ....
Replantear ....
Resolver ....
Responder ....
Restricción (la) ....
Restrictivo/a ....
Resumir ....
Reto (el) ....
Reunión (la) ....
Revelar ....
Rival (el, la) ....
Romper ....
Roncar ....

S

Sagrado/a ....
Salida (la) ....
Sangriento/a ....
Satélite (el) ....
Sector (el) ....
Semana (la) ....
Semilla (la) ....
Sentido/a ....
Señor/-a (el, la) ....
Servir ....
Sobrenatural ....
Social ....
Solución (la) ....
Someter ....
Subrayar ....
Sugerencia (la) ....
Supuesto/a ....

T

Tardar ....
Técnico/a ....
Tecnología (la) ....
Telar (el) ....
Telefónico/a ....
Temporal ....
Traducir ....
Traer ....
Transgénico/a ....

U

Usado/a ....
Usar ....
Usuario/a (el, la) ....

V

Valle (el) ....
Varón (el) ....
Ventaja (la) ....
Ventilación (la) ....
Ver ....
Versión (la) ....
Vestir ....
Víctima (la) ....
Violencia (la) ....
Visitar ....
Volcado/a ....
Volcán (el) ....
Votación (la) ....

X

Xenófobo/a ....

TEMA 3

A

Abandonar ....
Accesibilidad (la) ....
Aceptar ....
Accidente (el) ....
Actitud (la) ....
Actual ....
Adelanto (el) ....
Admitir ....
Advertencia (la) ....
Agotamiento (el) ....
Alianza (la) ....
Amado/a ....
Amenaza (la) ....
Antelación (la) ....
Anular ....
Apagar ....
Aportar ....
Aproximar ....
Asegurar ....
Asociarse ....
Atañer ....
Atroz ....
Autenticidad (la) ....
Autocorrección (la) ....
Automático/a ....
Avalar ....

B

Barbacoa (la) ....
Beber ....
Bello/a ....
Beneficio (el) ....
Biografía (la) ....
Bonito/a ....
Bosque (el) ....

C
Caja (la) ....
Cancelar ....
Canción (la) ....
Capacidad (la) ....
Capitán/capitana (el, la) ....
Cargo (el) ....
Carrera (la) ....
Cartera (la) ....
Casado/a ....
Caso (el) ....
Causar ....
Cerebro (el) ....
Charlar ....
Cita (la) ....
Cláusula (la) ....
Clausurar ....
Club (el) ....
Color (el) ....
Comentar ....
Comisión (la) ....
Complejo/a ....
Completo/a ....
Compra (la) ....
Condición (la) ....
Confundir ....
Consciente ....
Contable ....
Conveniente ....
Convenir ....
Convivir ....
Criterio (el) ....
Crónica (la) ....
Cuello (el) ....
Cuento (el) ....
Cuestión (la) ....
Cuidadoso/a ....

D
Delicado/a ....
Democrático/a ....
Desagradable ....
Desarrollado/a ....
Descortesía (la) ....
Desertificación (la) ....
Desierto/a ....
Dictadura (la) ....
Disculpar ....
Dispuesto/a ....
Doloroso/a ....

E
Efectividad (la) ....
Elegido/a ....
Empresarial ....
Enclave (el) ....
Ensayo (el) ....
Equilibrio (el) ....
Erosión (la) ....
Especialidad (la) ....
Especular ....
Esquina (la) ....
Establecido/a ....
Estresado/a ....
Etapa (la) ....
Etiqueta (la) ....
Étnico/a ....
Exagerado/a ....
Exigir ....
Exiliarse ....
Exilio (el) ....

F
Facilidad (la) ....
Facultad (la) ....
Fauna (la) ....
Favorable ....
Favorito/a ....
Filología (la) ....
Fluir ....
Frontera (la) ....
Funcionario/a (el, la) ....

G
Ganar ....
Garantizar ....
Globalización (la) ....
Golpe (el) ....
Guión (el) ....

H
Habitar ....
Hamburguesa (la) ....
Humanidad (la) ....
Humano/a ....
Humedad (la) ....
Húmedo/a ....
Humorístico/a ....

I
Identidad (la) ....
Impenetrable ....
Imposible ....
Imprescindible ....
Improbable ....
Incomprensible ....
Injusticia (la) ....
Inoportuno/a ....
Insecto (el) ....
Instinto (el) ....
Interactividad (la) ....
Intercambio (el) ....
Interrupción (la) ....
Inventario (el) ....
Investigación (la) ....
Irreal ....
Isla (la) ....

J
Joven ....

L
Largo/a ....
Lector/-a (el, la) ....
Lesión (la) ....
Letra (la) ....
Libertad (la) ....
Literario/a ....
Llamada (la) ....
Llamativo/a ....
Lleno/a ....
Lluvioso/a ....
Locutor/-a (el, la) ....

M
Máquina (la) ....
Maravilloso/a ....
Material (el) ....
Mediador/-a (el, la) ....
Mediodía (el) ....
Mínimo/a ....
Mono/a ....
Montón (el) ....
Mortal ....
Mosquito (el) ....
Muerto/a ....
Música (la) ....

N
Náusea (la) ....
Norma (la) ....
Novedad (la) ....

O
Objeción (la) ....
Objetivo (el) ....
Ocuparse ....
Ocurrir ....
Ofrecer ....
Oportunidad (la) ....
Orgulloso/a ....

P
Paracaídas (el) ....
Parar ....
Participación (la) ....
Partidario/a ....
Pelearse ....
Pelo (el) ....
Pérdida (la) ....
Perdón (el) ....
Periodista (el, la) ....
Pesado/a ....
Picar ....
Pierna (la) ....
Planta (la) ....
Plantear ....
Pluvial ....
Pobreza (la) ....
Político/a ....
Porvenir (el) ....
Posición (la) ....
Practicar ....
Presentación (la) ....
Presidente/a ....
Privilegiado/a ....
Profesión (la) ....
Prometido/a ....
Propósito (el) ....
Protestar ....
Publicar ....
Puesto (el) ....
Punto (el) ....

R
Realizarse ....
Rebaja (la) ....
Recibo (el) ....
Recomendación (la) ....

Referente ....
Reflexionar ....
Regalo (el) ....
Rehacer ....
Reinar ....
Relación (la) ....
Renunciar ....
Reñir ....
Reprochar ....
Reservado/a ....
Residir ....
Respetuoso/a ....
Robar ....

S
Selva (la) ....
Semanario (el) ....
Sensación (la) ....
Sentir ....
Silvestre ....
Sitio (el) ....
Socio/a (el, la) ....
Solar (el) ....
Suegro/a (el, la) ....
Suelo (el) ....
Suspender ....

T
Tala (la) ....
Taquígrafo/a (el, la) ....
Tecnológico/a ....
Tirar ....
Tocadiscos (el) ....
Tocar ....
Torcido/a ....
Traductor/-a (el, la) ....
Transformación (la) ....
Trasladar ....
Trasnochado/a ....
Tratado/a ....
Tratamiento (el) ....
Tutoría (la) ....

U
Último/a ....
Umbrófilo/a ....
Único/a ....

V
Verano (el) ....
Verdor (el) ....
Vértigo (el) ....
Vestido (el) ....

TEMA 4
A
Abierto/a ....
Aceptación (la) ....
Acorde ....
Acostar ....
Actividad (la) ....
Actualidad (la) ....
Acuerdo (el) ....
Adelantado/a ....
Afición (la) ....
Afirmativo/a ....
Agarrar ....
Agregar ....
Agrio/a ....
Airear ....
Alimento (el) ....
Almeja (la) ....
Ampliación (la) ....
Anclado/a ....
Anotar ....
Antaño ....
Antipático/a ....
Anual ....
Apretar ....
Aproximado/a ....
Arco (el) ....
Área (el) ....
Arrogante ....
Arroz (el) ....
Asistencia (la) ....
Asombro (el) ....
Aspiradora (la) ....
Asumir ....
Atentamente ....
Atónito/a ....
Auténtico/a ....
Autogestión (la) ....
Autorización (la) ....
Azafrán (el) ....

B
Banano (el) ....
Barrer ....
Basura (la) ....
Beneficio (el) ....

Bocadillo (el) ....
Bolsa (la) ....
Botón (el) ....

C
Cacharro (el) ....
Calamar (el) ....
Caldo (el) ....
Calentar ....
Calificación (la) ....
Cáncer (el) ....
Cantidad (la) ....
Carga (la) ....
Cáscara (la) ....
Catedral (la) ....
Cifra (la) ....
Clásico/a ....
Cocción (la) ....
Cocer ....
Cocinero/a (el, la) ....
Colaborador/-a (el, la) ....
Colonizar ....
Columna (la) ....
Comercialización (la) ....
Compartimento (el) ....
Completar ....
Complicado/a ....
Comprender ....
Comprobar ....
Conciencia (la) ....
Confirmar ....
Congelado/a ....
Congreso (el) ....
Conocimiento (el) ....
Conservación (la) ....
Contar ....
Contemporáneo/a ....
Cooperativa (la) ....
Costoso/a ....
Costumbre (la) ....
Crisis (la) ....
Criticar ....
Crudo/a ....
Cubrir ....
Curar ....
Curso (el) ....

D
Declaración (la) ....
Dedicar ....
Delegación (la) ....
Derrumbamiento (el) ....
Descarado/a ....
Desenchufar ....
Desperdiciar ....
Desprovisto/a ....
Destinar ....
Destrucción (la) ....
Detergente (el) ....
Diferenciar ....
Directo/a ....
Directriz (la) ....
Disco (el) ....
Disgustado/a ....
Disgusto (el) ....
Divinidad (la) ....
Doméstico/a ....
Domiciliario/a ....
Durar ....

E
Ecológico/a ....
Educativo/a ....
Emoción (la) ....
Empleo (el) ....
Encender ....
Encierro (el) ....
Enorme ....
Ensordecedor/-a ....
Erradicar ....
Escoba (la) ....
Estrofa (la) ....
Estupendo/a ....
Exótico/a ....
Expansión (la) ....
Exportación (la) ....
Expresar ....
Exterior ....

F
Felicidad (la) ....
Felpudo (el) ....
Flora (la) ....
Fogata (la) ....
Franco/a ....
Frase (la) ....
Frecuente ....
Fregar ....
Friegaplatos (el) ....
Fruta (la) ....

Fuga (la) ....
Fundación (la) ....
Fundir ....
Fusión (la) ....

G
Gamba (la) ....
Gas (el) ....
Gasto (el) ....
Girar ....
Glaciar (el) ....
Grifo (el) ....
Guisante (el) ....

H
Habitual ....
Hablante (el, la) ....
Hipotético/a ....
Hoyo (el) ....

I
Igualdad (la) ....
Indígena (el, la) ....
Ingrediente (el) ....
Iniciar ....
Inmediato/a ....
Inmenso/a ....
Inmóvil ....
Insistente ....
Insistir ....
Insólito/a ....
Inútil ....

J
Juntar ....

L
Lavado (el) ....
Lavadora (la) ....
Liado/a ....
Ligero/a ....
Limpio/a ....
Líquido/a ....
Lugar (el) ....
Luminoso/a ....

M
Machacar ....
Madrugada (la) ....
Malaria (la) ....
Manejar ....
Marisco (el) ....
Marmita (la) ....
Masa (la) ....
Matiz (el) ....
Mejillón (el) ....
Mentalidad (la) ....
Mesa (la) ....
Miedo (el) ....
Minuto (el) ....
Mito (el) ....
Mojado/a ....
Mortero (el) ....
Mudarse ....
Mueble (el) ....
Muestra (la) ....

N
Negocio (el) ....
Nervioso/a ....
Noticia (la) ....
Número (el) ....

O
Observación (la) ....
Obsesionado/a ....
Oposición (la) ....
Optimista ....
Organización (la) ....
Oriental ....
Original ....

P
Paellera (la) ....
Paño (el) ....
Paralelo/a ....
Pausa (la) ....
Pausado/a ....
Pegamento (el) ....
Pelado/a ....
Perder ....
Perpetuo/a ....
Pescado (el) ....
Pesimista ....
Picado/a ....
Piedra (la) ....
Pimiento (el) ....
Pizarra (la) ....
Planchar ....
Plantado/a ....

Plomo (el) ....
Politécnico/a ....
Pollo (el) ....
Ponencia (la) ....
Posterior ....
Postre (el) ....
Potencia (la) ....
Precipitarse ....
Pregunta (la) ....
Previo/a ....
Producir ....
Progresivo/a ....
Puro/a ....

Q
Queja (la) ....
Quitar ....

R
Racionalizar ....
Receta (la) ....
Recoger ....
Reconciliarse ....
Recuperación (la) ....
Red (la) ....
Regresar ....
Regularización (la) ....
Repartir ....
Reparto (el) ....
Repaso (el) ....
Reposar ....
Reservar ....
Rienda (la) ....
Rollo (el) ....
Rumbo (el) ....

S
Salario (el) ....
Satisfactorio/a ....
Secado (el) ....
Siguiente ....
Silencio (el) ....
Simbolizar ....
Simultáneo/a ....
Situar ....
Sobrecogedor ....
Sobresaltarse ....
Sofreír ....
Sofrito/a ....
Solucionar ....
Sonar ....
Suavizante (el) ....
Suceso (el) ....
Sucursal (la) ....
Sueño (el) ....
Sujeto/a ....
Supermercado (el) ....
Surgir ....
Sutil ....

T
Tambor (el) ....
Tapar ....
Tarea (la) ....
Taza (la) ....
Tema (el) ....
Temporada (la) ....
Terraza (la) ....
Tontería (la) ....
Trozo (el) ....

V
Vacuna (la) ....
Variante (la) ....
Vehículo (el) ....
Vigilar ....

TEMA 5
A
Absoluto/a ....
Aburrimiento (el) ....
Acto (el) ....
Actualizado/a ....
Acumular ....
Afín ....
Afirmar ....
Agotado/a ....
Agrupar ....
Agudeza (la) ....
Ajustar ....
Ambición (la) ....
Anuncio (el) ....
Apetecer ....
Apuntarse ....
Arrepentirse ....
Arriesgarse ....
Asistir ....
Astro (el) ....
Auditoría (la) ....
Aula (el) ....

166 planet@ **4**

Avenida (la) ....
Azulejo (el) ....

B ─────────────
Barato/a ....
Beso (el) ....
Boletín (el) ....
Bolsillo (el) ....
Bueno/a ....
Buzón (el) ....

C ─────────────
Callejuela (la) ....
Cambiante ....
Camino (el) ....
Campaña (la) ....
Chaqueta (la) ....
Claridad (la) ....
Cojo/a ....
Comentario (el) ....
Compartir ....
Complementario/a ....
Comprender ....
Comunicación (la) ....
Concertar ....
Concreto/a ....
Conjurar ....
Conocido/a ....
Conseguir ....
Consultar ....
Consultoría (la) ....
Contactar ....
Contradecir ....
Coordinar ....
Copa (la) ....
Correcto/a ....
Correo (el) ....
Corresponsal (el, la) ....
Corto/a ....
Cualificado/a ....
Curioso/a ....
Currículum (el) ....

D ─────────────
Declarado/a ....
Delegar ....
Deportivo/a ....
Desaprobación (la) ....
Desaprobar ....
Deseado/a ....
Detallado/a ....
Difusión (la) ....
Discriminar ....
Docena (la) ....
Dramático/a ....
Duplicar ....

E ─────────────
Efectivo/a ....
Ejecutar ....
Encargado/a (el, la) ....
Enumerar ....
Error (el) ....
Escéptico/a ....
Espantoso/a ....
Esperanza (la) ....
Estudioso/a ....
Examinar ....

F ─────────────
Faceta (la) ....
Falda (la) ....
Fijo/a ....
Fotocopia (la) ....
Franquismo (el) ....

G ─────────────
Global ....
Gordo/a ....

H ─────────────
Hipótesis (la) ....
Horrible ....
Humor (el) ....

I ─────────────
Idealismo (el) ....
Ilusión (la) ....
Impartir ....
Impregnar ....
Increíble ....
Indiferente ....
Inestable ....
Inexperto/a ....
Innecesario/a ....
Insatisfecho/a ....
Interno/a ....

L ─────────────
Labor (la) ....
Lástima (la) ....

M ─────────────
Mañana (la) ....
Mencionar ....
Monedero (el) ....

N ─────────────
Nacer ....
Nostálgico/a ....
Nota (la) ....

P ─────────────
Página (la) ....
Paradisíaco/a ....
Parálisis (la) ....
Participar ....
Pasión (la) ....
Paz (la) ....
Pequeño/a ....
Percibir ....
Pésame (el) ....
Plancha (la) ....
Planetario/a ....
Porra (la) ....
Portátil ....
Precioso/a ....
Procesar ....
Propio/a ....
Proponer ....
Publicación (la) ....
Publicitario/a ....

R ─────────────
Radical ....
Radiocasete (el) ....
Rapidez (la) ....
Raro/a ....
Rato (el) ....
Realización (la) ....
Receptor/-a ....
Remedio (el) ....
Repetir ....
Representante (el, la) ....
Restringir ....
Retraso (el) ....

S ─────────────
Seminario (el) ....
Sentimentalismo (el) ....
Separado/a ....
Simplificar ....
Sobrecarga (la) ....
Solicitud (la) ....
Sueldo (el) ....
Suerte (la) ....
Suponer ....
Suposición (la) ....

T ─────────────
Tablón (el) ....
Telegrama (el) ....
Terreno (el) ....
Tonto/a ....
Tortura (la) ....
Tumbado/a ....

V ─────────────
Vídeo (el) ....

SUMARIO